COLLECTION FOLIO

Simone de Beauvoir

La Femme indépendante

Extraits du *Deuxième Sexe*

ÉDITION ÉTABLIE ET PRÉSENTÉE
PAR MARTINE REID

Gallimard

se souvient Simone de Beauvoir dans *La Force des choses*, et je décidai de le porter tout de suite à Gallimard. Comme l'appeler ? J'y rêvai longtemps avec Sartre. […] Je pensais à *L'Autre, La Seconde* : ça avait déjà servi. Un soir, dans ma chambre, nous avons passé des heures à jeter des mots, Sartre, Bost et moi. Je suggérai : *L'Autre sexe* ? non. Bost proposa : *Le Deuxième Sexe* et réflexion faite, cela convenait tout à fait. Je me mis alors à travailler d'arrache-pied au tome deux. »

À partir de mai de l'année suivante, *Les Temps modernes* publie trois nouveaux extraits, « L'initiation sexuelle de la femme », « La lesbienne » et « La maternité ». Il s'agit cette fois de chapitres appartenant au second volume du *Deuxième Sexe*, les deux premiers dans la partie intitulée « Formation », le troisième dans la partie « Situation ». Journaliste au *Figaro*, particulièrement outré des propos sur la sexualité tenus par Simone de Beauvoir, François Mauriac lance aussitôt une enquête sur « le prétendu message de Saint-Germain-des-Prés » et attend des « jeunes intellectuels et écrivains » le plus complet désaveu des mouvements surréaliste et existentialiste dont il prétend retrouver l'influence dans l'ouvrage de Simone de Beauvoir. Les réponses ne tardent pas à venir, et l'écrivain catholique, à sa grande surprise sans doute, n'y trouve pas la condamnation unanime qu'il attendait. Les auteurs apportent à la question des réponses plutôt nuancées, qui prouvent assez, n'en déplaise à Mauriac, qu'une évolution inéluctable est en marche dans la France d'après-guerre, une évolution dans les mœurs et les mentalités, dans les rapports entre les hommes et les femmes.

En juin 1949, le premier tome du *Deuxième Sexe*, sous-titré « Les faits et les mythes », paraît aux éditions Gallimard (nom de l'auteur en capitales noires sur la couverture ivoire, titre en capitales rouges). Il porte une bande ornée d'une photo de Simone de

Beauvoir et de Jean-Paul Sartre au Flore, accompagnée de la mention « La femme cette inconnue ». Le livre est dédié à Jacques Bost ; la dédicace est suivie de citations de Pythagore et de Poullain de la Barre, l'un des premiers à avoir, au XVIIᵉ siècle, plaidé l'égalité des sexes. Vingt-deux mille exemplaires sont vendus dès la première semaine tandis que la critique se déchaîne.

En août, *Paris-Match* publie des extraits du deuxième volume dans ses numéros du 6 et du 13 août : « Une femme appelle les femmes à la liberté », proclame l'hebdomadaire. Ce volume, sous-titré « L'expérience vécue », est publié en novembre. Il porte en épigraphe deux citations, l'une de Kierkegaard, l'autre de Sartre. « On ne naît pas femme : on le devient, lit-on aux premières lignes du premier chapitre. Aucun destin biologique, psychique, économique ne définit la figure que revêt au sein de la société la femelle humaine ; c'est l'ensemble de la civilisation qui élabore ce produit intermédiaire entre le mâle et le castrat qu'on qualifie de féminin. » Désormais, il ne s'agit plus seulement d'évoquer des faits et de soumettre à l'analyse quelques formes de mythification littéraire, mais de frapper au cœur l'édifice des représentations collectives. Mille fois répétée ensuite, dans toutes les langues, la phrase sert de pierre angulaire à la pensée féministe de la seconde moitié du XXᵉ siècle, et ce qu'elle énonce participe d'une véritable révolution conceptuelle.

En 1949, Simone de Beauvoir a quarante et un ans. Un mot sans doute résume son existence à ce jour, et pour longtemps encore : liberté. Dans la somme autobiographique grâce à laquelle, à partir des années 60, elle ressuscite le passé avec une rare franchise, la notion se fait entendre dès l'adolescence, sur le mode d'une pulsion profonde, irrépressible. En apparence, le destin d'une jeune fille de la bourgeoisie parisienne des années 20 semble tout tracé : le mariage et la maternité l'« élèveront » au rang d'épouse puis de mère ; la société n'attend rien d'autre d'elle. Si par hasard elle est instruite, si elle aime l'étude au point de songer à quelque métier, elle sentira très vite qu'il est des sacrifices nécessaires : elle abandonnera ses projets de carrière pour être tout entière à sa famille. C'est ce que prêchent les romans de Colette Yver que le père de Simone de Beauvoir apprécie tant ; c'est aussi ce que l'adolescente refuse fermement. Elle ne sera pas « ménagère », elle sera maîtresse de sa vie. Le combat se place d'abord sur le terrain individuel. Il s'agit d'exister pour soi, de rompre avec les modèles existants, de se retrouver libre de disposer de sa vie. Comment ? En acquérant une autonomie financière et intellectuelle, en faisant des études afin de disposer d'un métier véritable. C'est de ses facultés propres que Simone de Beauvoir attend la libération — non sans peine. Dans sa famille, comme dans des milliers d'autres, tout est objet de puissants *a priori* et d'âpres discussions : les livres que l'on peut lire, les amies que l'on peut fréquenter, les jeunes gens avec lesquels il est permis de sortir, les études qu'il est imaginable de faire. L'adolescente tient bon (sans tout maîtriser), décide qu'elle sera professeur (métier féminin), puis qu'elle passera l'agrégation de philosophie (geste nettement plus audacieux).

Une fois l'autonomie intellectuelle acquise (par l'obtention d'une agrégation de philosophie), une fois nantie d'un métier, donc d'un salaire, il reste à Simone de Beauvoir à construire une véritable indépendance dans le domaine affectif. La tâche est moins simple qu'il n'y paraît. Passe encore d'être un bas-bleu (après tout, le phénomène existe depuis un bon siècle au moins), mais un bas-bleu émancipé ! Avec Jean-Paul Sartre, rencontré en juillet 1929, le « contrat » assurant la liberté de chacun se met en place assez facilement : il est entendu que l'affection qui les unit est « nécessaire », mais qu'elle n'exclut pas les amours « contingentes », de part et d'autre. De mariage il n'est pas seulement question, ni même de cohabitation (les contraintes ménagères risqueraient très vite de créer quelque dépendance) ; de maternité moins encore : un projet, le seul qui vaille la peine d'un point de vue intellectuel et existentiel, s'est en effet précisé. « Deux préoccupations ont dominé [ma jeunesse], écrit Simone de Beauvoir dans *La Force de l'âge* : vivre, et réaliser ma vocation encore abstraite d'écrivain, c'est-à-dire trouver le point d'insertion de la littérature dans ma vie. »

À ce stade, la lucidité est remarquable, la détermination aussi ; toutefois, Simone de Beauvoir n'a encore travaillé que pour elle-même. Elle n'en fait pas mystère dans son autobiographie, longtemps la politique l'intéresse peu, l'histoire ne semble pas la concerner ; sa conscience « sociale » consiste en une solidarité de principe avec ceux qu'occupe quelque cause juste. « À partir de 1939, tout changea. » D'un coup, l'histoire impose sa présence brutale, les choix politiques cessent d'être de vains mots, l'exercice de la littérature prend un caractère de nécessité véritable. « La littérature apparaît lorsque quelque chose dans la vie se dérègle, note-t-elle encore dans *La Force de l'âge* ; pour écrire […], la première condition, c'est que la réalité cesse d'*aller de soi* ; alors seulement on est capable de la voir et de la donner à voir. » Ce n'est pas la seule évidence qui s'impose. Tandis que le cercle de ses fréquentations s'agrandit, le sentiment d'une « condition » commune aux femmes, dont elles-mêmes, le plus souvent, tirent parti autant qu'elles la subissent, se précise. « Sur bien des points, j'avais réalisé combien, avant la guerre, j'avais péché par abstraction […], je ne m'étais pas avisée qu'il y eût une condition féminine », avouera-t-elle.

11

La guerre et le début des années 40 constituent pour Simone de Beauvoir un moment capital : il marque le passage d'un souci de liberté individuelle à une prise de conscience qui s'inscrit cette fois dans une perspective collective, il précipite une entrée en littérature où, entre essai philosophique et fiction, volonté de se dire et recherches formelles originales, la compagne de Sartre continue, avec lui, de chercher sa voie. Les débuts littéraires sont sans doute marqués davantage par des tentatives de type expérimental que par de véritables réussites. La modestie de l'écrivain, le sens critique aigu dont elle ne se départ guère lui feront plus tard juger (trop) sévèrement ce premier temps de son œuvre où elle tente notamment, à la suite de Virginia Woolf mais aussi des grands romanciers américains, Hemingway, Melville ou Faulkner, de décrire le monde du point de vue, subjectif, du personnage. Le recueil de nouvelles, *Anne ou quand prime le spirituel*, ne trouve pas d'éditeur ; le second roman, *L'Invitée*, à caractère philosophique, rencontre un vrai succès en 1943 ; réflexion de nature métaphysique et politique sur la Résistance, *Le Sang des autres* ne connaît guère qu'un succès d'estime, comme *Tous les hommes sont mortels*. Juste après la guerre, poussée par Sartre, Simone de Beauvoir s'essaie au théâtre avec *Les Bouches inutiles*, mais la pièce est un échec. Après deux essais, *Pyrrhus et Cinéas* et *Pour une morale de l'ambiguïté*, le récit de son voyage en Amérique, publié en 1948, se voit en revanche bien accueilli.

Entre-temps, dès 1946, Simone de Beauvoir a commencé à considérer un livre sur cette « condition féminine » dont elle a pris conscience brutalement et sur laquelle elle entend se prononcer, mue par un sentiment d'urgence. À l'œuvre partout, la domination de l'homme sur la femme doit être analysée, critiquée, débusquée là où elle se manifeste, pensée sous toutes ses formes, de toutes sortes de points de vue. La biologie, l'histoire, la philosophie, la pensée politique, l'anthropologie sont convoquées pour mettre cette domination en procès, d'autant que sa parenté avec la situation de l'ouvrier, ou celle du Noir américain, apparaît évidente — la comparaison sera souvent reprise. Dans cette perspective, il s'agira de comprendre ce qui se passe, puis d'inviter au changement ; il s'agira encore d'analyser les motifs et circonstances de la dépendance avant d'appeler à l'indépendance. C'est le titre du dernier chapitre, que nous avons choisi de reproduire, et il n'étonne pas : *Le Deuxième Sexe* est (également) une belle leçon de liberté donnée par une femme libre, aussi libre de corps et d'esprit que le permet une époque donnée, que l'autorise une conscience engagée dans un processus de critique active à l'égard de son temps.

Il est des livres qui arrivent à point nommé : ils constituent un précipité des idées de leur temps tout en ouvrant des horizons parfaitement nouveaux ; ils nomment ce qui se trouve communément partagé, mais ils appellent à sa mise en examen, puis à son dépassement ; leurs auteurs rendent compte d'observations précises, mais ils sont également capables de créer les outils conceptuels qui vont servir à critiquer ce dont ils ont fait le constat. *Le Deuxième Sexe* est de ceux-là. Tout dans la démarche de Simone de Beauvoir qui vient d'être évoquée, dans son parcours à la fois hasardeux et déterminé, y conduit comme naturellement : « [...] voulant parler de moi, je m'avisai qu'il me fallait décrire la condition féminine. [...] Je tentai de mettre de l'ordre dans le tableau, à première vue incohérent, qui s'offrit à moi : en tout cas l'homme se posait comme le Sujet et considérait la femme comme un objet, comme l'Autre. [...] Je m'étais mise à regarder les femmes et j'allais de surprise en surprise. C'est

étrange et c'est stimulant de découvrir soudain, à quarante ans, un aspect du monde qui crève les yeux et
qu'on ne voyait pas. »

Simone de Beauvoir formule en philosophe le rapport qui structure depuis des millénaires la relation
entre l'homme et la femme : l'homme voit, la femme
est vue ; l'homme est sujet, la femme est objet, *autre*,
seconde, irrémédiablement ; l'homme est culture, la
femme est nature, prisonnière de sa condition physiologique, de ce ventre qui l'assujettit à son destin, la
maternité. Tout au long de l'histoire sans doute, avec
un entêtement surprenant, des voix de femmes se
sont élevées pour protester contre cette condition que
crée sa domination, mais aussi pour revendiquer des
droits, civils et politiques. Très vite en butte aux résistances du milieu littéraire, les femmes auteurs en particulier ont été soucieuses d'interroger les relations entre
les hommes et les femmes dans leurs romans, quand
elles n'ont pas appelé à l'égalité dans des articles, des
pamphlets, des essais. Marie de Gournay, Olympe de
Gouges, Mme de Genlis ou George Sand sont au nombre de celles-ci, soutenues d'ailleurs dans leurs revendications par un Poullain de la Barre, un Condorcet
ou un Saint-Simon. Ce n'est toutefois pas l'histoire de
ce proto-féminisme qui intéresse Simone de Beauvoir,
ou encore le bilan des revendications sociales et politiques qui ont marqué la première moitié du XXᵉ siècle.
La radicalité de son propos repose sur une conviction
d'ordre existentialiste : l'existence précède l'essence ;
dans cette perspective, il n'y a pas de « nature » féminine, se référer à quelque « essence » du féminin n'a
pas de sens. Critique des discours existants (biologie,
psychanalyse, matérialisme historique), critique de
l'histoire qui montre que « les hommes ont toujours
détenu tous les pouvoirs concrets », critique des représentations en littérature (ces fameux « mythes » véhi-

14

culant des images contradictoires, celles de la maman et de la putain, de la sainte et de la garce, de la femme sublime et de la femme damnée), critique des « âges » de la femme, à commencer par son enfance, son adolescence et son initiation sexuelle, critique des attitudes adoptées et dans lesquelles elle s'aliène (le narcissisme, l'amour, le mysticisme), appel enfin à l'affranchissement, à l'indépendance, accompagnée du souhait de voir un jour régner non une égalité dans la différence, alibi facile, refrain d'un autre âge, mais une égalité véritable, ontologique, constituent les étapes marquantes d'un livre parfaitement neuf, animé d'une pensée résolument antinaturaliste.

La force du *Deuxième Sexe* consiste à dénoncer le caractère sociohistorique attaché à la notion de « femme » (de ce point de vue, elle annonce la notion de « genre », ainsi que l'a rappelé Françoise Héritier) et à dégager cette dernière de toute réduction à quelque nature supposée. L'originalité du livre tient à l'ambition d'interroger aussi bien les sciences humaines que la littérature, puis de faire du « devenir femme », de l'enfance à la vieillesse, un objet de réflexion à part entière, dans une perspective empruntée à la phénoménologie. Le courage d'un tel ouvrage, dans lequel l'auteur s'implique *en personne* (ce qui ne manquera pas de choquer), repose sur le fait de n'avoir pas hésité à appliquer aux femmes elles-mêmes, « moitié victimes, moitié complices », comme le rappelle le mot de Sartre qui sert d'épigraphe au second volume, le regard critique qui avait été porté ailleurs, c'est-à-dire de dénoncer la connivence qui les lie volontiers à qui les domine. On comprend que *Le Deuxième Sexe* ait pu (beaucoup) déplaire, aux lecteurs de droite comme de gauche, aux hommes comme aux femmes. Sans doute, quelque soixante ans après, porte-t-il la marque du temps : il rencontre notamment les limites de la philosophie qui le sous-tend comme celles de la pensée politique qui le nourrit. Pour autant, son caractère séminal ne peut se trouver diminué, ou son influence, absolument considérable, déniée. Dès sa parution, *Le Deuxième Sexe* est traduit dans plusieurs dizaines de langues ; aux États-Unis, Betty Friedan en fait le fer de lance du combat féministe pour l'égalité et la parité, et il en va de même dans à peu près tous les pays d'Europe, avant l'Amérique latine et l'Asie. Par ailleurs, Simone de Beauvoir a elle-même peu à peu modifié ses vues, d'abord en abandonnant l'idée d'une révolution purement politique au profit de l'idée d'un combat spécifique des femmes pour une amélioration de leur condition (c'est en ceci qu'elle est *devenue* féministe, ainsi qu'elle l'a expliqué plus tard), ensuite en critiquant ses analyses, trop peu matérialistes à ses yeux, mais sans pour autant renier ses thèses de départ.

Le Deuxième Sexe a imprégné si continûment et profondément la pensée du féminin et du féminisme à partir de 1949 qu'on s'étonne parfois, à le relire, des résistances qu'il a pu rencontrer. C'est que les idées qu'il défend sont passées dans les faits, qu'elles ont cheminé dans les têtes, qu'elles se sont, jusqu'à un certain point, accomplies. À la mort de Simone de Beauvoir en 1986, Élisabeth Badinter devait lui consacrer un article dans *Le Nouvel Observateur*. Intitulé « Françaises, vous lui devez tout ! », il rappelait l'impact intellectuel de l'un des textes les plus importants de la seconde moitié du XXe siècle. Les Françaises, assurément, lui doivent bien des choses, mais elles ne sont pas les seules : grâce à Simone de Beauvoir, la fameuse « condition féminine », universellement partagée, se trouve à jamais changée.

MARTINE REID

NOTE SUR LE TEXTE

Publié chez Gallimard en 1949, *Le Deuxième Sexe* compte deux volumes et un total de 972 pages. Nous avons choisi de reproduire l'introduction du premier volume (p. 11-32) ainsi que le chapitre XIV, « La femme indépendante » (p. 521-559), et les pages finales du second volume (p. 560-577). Les notes de l'auteur sont appelées par astérisque ; les notes de l'éditrice, appelées en chiffres arabes, figurent en fin de volume. Le texte est également disponible dans la collection Folio essais (nᵒˢ 37 et 38).

Je remercie Sylvie Le Bon de Beauvoir d'avoir autorisé la reproduction partielle de l'ouvrage et d'avoir bien voulu relire les propos qui l'accompagnent.

LA FEMME INDÉPENDANTE

aient un utérus comme les autres. Tout le monde s'accorde à reconnaître qu'il y a dans l'espèce humaine des femelles ; elles constituent aujourd'hui comme autrefois à peu près la moitié de l'humanité ; et pourtant on nous dit que « la féminité est en péril » ; on nous exhorte : « Soyez femmes, restez femmes, devenez femmes. » Tout être humain femelle n'est donc pas nécessairement une femme ; il lui faut participer de cette réalité mystérieuse et menacée qu'est la féminité. Celle-ci est-elle sécrétée par les ovaires ? ou figée au fond d'un ciel platonicien ? Suffit-il d'un jupon à froufrou pour la faire descendre sur terre ? Bien que certaines femmes s'efforcent avec zèle de l'incarner, le modèle n'en a jamais été déposé. On la décrit volontiers en termes vagues et miroitants qui semblent empruntés au vocabulaire des voyantes. Au temps de saint Thomas, elle apparaissait comme une essence aussi sûrement définie que la vertu dormitive du pavot. Mais le conceptualisme a perdu du terrain : les sciences biologiques et sociales ne croient plus en l'existence d'entités immuablement fixées qui définiraient des caractères donnés tels que ceux de la Femme, du Juif ou du Noir ; elles considèrent le caractère comme une réaction secondaire à une *situation*. S'il n'y a plus aujourd'hui de féminité, c'est qu'il n'y en a jamais eu. Cela signifie-t-il que le mot « femme » n'ait aucun contenu ? C'est ce qu'affirment vigoureusement les partisans de la philosophie des lumières, du rationalisme, du nominalisme : les femmes seraient seulement parmi les êtres humains ceux qu'on désigne arbitrairement par le mot « femme » ; en particulier les Américaines pensent volontiers que la femme en tant que telle n'a plus lieu ; si une attardée se prend encore pour une femme, ses amies lui conseillent de se faire psychanalyser afin de se délivrer de cette obsession. À propos d'un ouvrage, d'ailleurs fort agaçant, intitulé *Modern Wo-*

man : a lost sex[1], Dorothy Parker a écrit : « Je ne peux être juste pour les livres qui traitent de la femme en tant que femme... Mon idée c'est que tous, aussi bien hommes que femmes, qui que nous soyons, nous devons être considérés comme des êtres humains. » Mais le nominalisme est une doctrine un peu courte ; et les antiféministes ont beau jeu de montrer que les femmes ne *sont* pas des hommes. Assurément la femme est comme l'homme un être humain : mais une telle affirmation est abstraite ; le fait est que tout être humain concret est toujours singulièrement situé. Refuser les notions d'éternel féminin, d'âme noire, de caractère juif, ce n'est pas nier qu'il y ait aujourd'hui des Juifs, des Noirs, des femmes : cette négation ne représente pas pour les intéressés une libération, mais une fuite inauthentique. Il est clair qu'aucune femme ne peut prétendre sans mauvaise foi se situer par-delà son sexe. Une femme écrivain connue[2] a refusé voici quelques années de laisser paraître son portrait dans une série de photographies consacrées précisément aux femmes écrivains : elle voulait être rangée parmi les hommes ; mais pour obtenir ce privilège, elle utilisa l'influence de son mari. Les femmes qui affirment qu'elles sont des hommes n'en réclament pas moins des égards et des hommages masculins. Je me rappelle aussi cette jeune trotskiste debout sur une estrade au milieu d'un meeting houleux et qui s'apprêtait à faire le coup de poing malgré son évidente fragilité ; elle niait sa faiblesse féminine ; mais c'était par amour pour un militant dont elle se voulait l'égale. L'attitude de défi dans laquelle se crispent les Américaines prouve qu'elles sont hantées par le sentiment de leur féminité. Et en vérité il suffit de se promener les yeux ouverts pour constater que l'humanité se partage en deux catégories d'individus dont les vêtements, le visage, le corps, les sourires, la démarche, les intérêts, les occupations sont manifestement différents : peut-être ces différences sont-elles superficielles, peut-être sont-elles destinées à disparaître. Ce qui est certain c'est que pour l'instant elles existent avec une éclatante évidence.

Si sa fonction de femelle ne suffit pas à définir la femme, si nous refusons aussi de l'expliquer par « l'éternel féminin » et si cependant nous admettons que, fût-ce à titre provisoire, il y a des femmes sur terre, nous avons donc à nous poser la question : qu'est-ce qu'une femme ?

L'énoncé même du problème me suggère aussitôt une première réponse. Il est significatif que je le pose. Un homme n'aurait pas idée d'écrire un livre sur la situation singulière qu'occupent dans l'humanité les mâles[*]. Si je veux me définir je suis obligée d'abord de déclarer : « Je suis une femme » ; cette vérité constitue le fond sur lequel s'enlèvera toute autre affirmation. Un homme ne commence jamais par se poser comme un individu d'un certain sexe : qu'il soit homme, cela va de soi. C'est d'une manière formelle, sur les registres des mairies et dans les déclarations d'identité que les rubriques : masculin, féminin, apparaissent comme symétriques. Le rapport des deux sexes n'est pas celui de deux électricités, de deux pôles : l'homme représente à la fois le positif et le neutre au point qu'on dit en français « les hommes » pour désigner les êtres humains, le sens singulier du mot « vir » s'étant assimilé au sens général du mot « homo ». La femme apparaît comme le négatif si bien que toute détermination lui est imputée comme limitation, sans réciprocité. Je me suis agacée parfois au cours de discussions abstraites d'entendre des hommes me dire : « Vous pensez telle chose parce que vous êtes une femme » ; mais je savais

* Le rapport Kinsey[3] par exemple se borne à définir les caractéristiques sexuelles de l'homme américain, ce qui est tout à fait différent.

24

que ma seule défense, c'était de répondre : « Je la pense parce qu'elle est vraie » éliminant par là ma subjectivité ; il n'était pas question de répliquer : « Et vous pensez le contraire parce que vous êtes un homme » ; car il est entendu que le fait d'être un homme n'est pas une singularité ; un homme est dans son droit en étant homme, c'est la femme qui est dans son tort. Pratiquement, de même que pour les anciens il y avait une verticale absolue par rapport à laquelle se définissait l'oblique, il y a un type humain absolu qui est le type masculin. La femme a des ovaires, un utérus ; voilà des conditions singulières qui l'enferment dans sa subjectivité ; on dit volontiers qu'elle pense avec ses glandes. L'homme oublie superbement que son anatomie comporte aussi des hormones, des testicules. Il saisit son corps comme une relation directe et normale avec le monde qu'il croit appréhender dans son objectivité, tandis qu'il considère le corps de la femme comme alourdi par tout ce qui le spécifie : un obstacle, une prison. « La femelle est femelle en vertu d'un certain *manque* de qualités », disait Aristote. « Nous devons considérer le caractère des femmes comme souffrant d'une défectuosité naturelle. » Et saint Thomas à sa suite décrète que la femme est un « homme manqué », un être « occasionnel ». C'est ce que symbolise l'histoire de la Genèse où Ève apparaît comme tirée, selon le mot de Bossuet, d'un « os surnuméraire » d'Adam. L'humanité est mâle et l'homme définit la femme non en soi mais relativement à lui ; elle n'est pas considérée comme un être autonome. « La femme, l'être relatif... » écrit Michelet. C'est ainsi que M. Benda affirme dans le *Rapport d'Uriel*[4] : « Le corps de l'homme a un sens par lui-même, abstraction faite de celui de la femme, alors que ce dernier en semble dénué si l'on n'évoque pas le mâle... L'homme se pense sans la femme. Elle ne se pense pas sans l'homme. » Et elle n'est rien d'autre que ce que l'homme en décide ; ainsi on l'appelle « le sexe », voulant dire par là qu'elle apparaît essentiellement au mâle comme un être sexué : pour lui, elle est sexe, donc elle l'est absolument. Elle se détermine et se différencie par rapport à l'homme et non celui-ci par rapport à elle ; elle est l'inessentiel en face de l'essentiel. Il est le Sujet, il est l'Absolu : elle est l'Autre[*].

La catégorie de l'*Autre* est aussi originelle que la conscience elle-même. Dans les sociétés les plus primitives, dans les mythologies les plus antiques on trouve toujours une dualité qui est celle du Même et de l'Autre ; cette division n'a pas d'abord été placée sous le signe de la division des sexes, elle ne dépend d'aucune donnée empirique : c'est ce qui ressort entre autres des travaux de Granet sur la pensée chinoise[6], de ceux de Dumézil sur les Indes et Rome[7]. Dans les couples Varuna-Mitra, Ouranos-Zeus, Soleil-Lune, Jour-Nuit, aucun élément féminin n'est d'abord impliqué ; non plus que

---

[*] Cette idée a été exprimée sous sa forme la plus explicite par E. Lévinas dans son essai sur *Le Temps et l'Autre*[5]. Il s'exprime ainsi : « N'y aurait-il pas une situation où l'altérité serait portée par un être à un titre positif, comme essence ? Quelle est l'altérité qui n'entre pas purement et simplement dans l'opposition des deux espèces du même genre ? Je pense que le contraire absolument contraire, dont la contrariété n'est affectée en rien par la relation qui peut s'établir entre lui et son corrélatif, la contrariété qui permet au terme de demeurer absolument autre, c'est le féminin. Le sexe n'est pas une différence spécifique quelconque... La différence des sexes n'est pas non plus une contradiction... (Elle) n'est pas non plus la dualité de deux termes complémentaires car deux termes complémentaires supposent un tout préexistant... L'altérité s'accomplit dans le féminin. Terme du même rang mais de sens opposé à la conscience. »

Je suppose que M. Lévinas n'oublie pas que la femme est aussi pour soi conscience. Mais il est frappant qu'il adopte délibérément un point de vue d'homme sans signaler la réciprocité du sujet et de l'objet. Quand il écrit que la femme est mystère, il sous-entend qu'elle est mystère pour l'homme. Si bien que cette description qui se veut objective est en fait une affirmation du privilège masculin.

26

dans l'opposition du Bien au Mal, des principes fastes et néfastes, de la droite et de la gauche, de Dieu et de Lucifer ; l'altérité est une catégorie fondamentale de la pensée humaine. Aucune collectivité ne se définit jamais comme Une sans immédiatement poser l'Autre en face de soi. Il suffit de trois voyageurs réunis par hasard dans un même compartiment pour que tout le reste des voyageurs deviennent des « autres » vaguement hostiles. Pour le villageois, tous les gens qui n'appartiennent pas à son village sont des « autres » suspects ; pour le natif d'un pays, les habitants des pays qui ne sont pas le sien apparaissent comme des « étrangers » ; les Juifs sont « des autres » pour l'antisémite, les Noirs pour les racistes américains, les indigènes pour les colons, les prolétaires pour les classes possédantes. À la fin d'une étude approfondie sur les diverses figures des sociétés primitives Lévi-Strauss a pu conclure : « Le passage de l'état de Nature à l'état de Culture se définit par l'aptitude de la part de l'homme à penser les relations biologiques sous la forme de systèmes d'oppositions : la dualité, l'alternance, l'opposition et la symétrie, qu'elles se présentent sous des formes définies ou des formes floues, constituent moins des phénomènes qu'il s'agit d'expliquer que les données fondamentales et immédiates de la réalité sociale[*]. » Ces phénomènes ne sauraient se comprendre si la réalité humaine était exclusivement un *mitsein*[9] basé sur la solidarité et l'amitié. Ils s'éclairent au contraire si suivant Hegel on découvre dans la conscience elle-même une fondamentale hostilité à l'égard de toute autre conscience ; le sujet ne se pose qu'en s'oppo-

---

[*] Voir C. Lévi-Strauss, *Les Structures élémentaires de la parenté*.
Je remercie C. Lévi-Strauss d'avoir bien voulu me communiquer les épreuves de sa thèse que j'ai entre autres largement utilisée dans la deuxième partie, p. 115-136[8].

sant : il prétend s'affirmer comme l'essentiel et constituer l'autre en inessentiel, en objet.

Seulement l'autre conscience lui oppose une prétention réciproque : en voyage le natif s'aperçoit avec scandale qu'il y a dans les pays voisins des natifs qui le regardent à son tour comme étranger ; entre villages, clans, nations, classes, il y a des guerres, des *potlatchs*, des marchés, des traités, des luttes qui ôtent à l'idée de l'*Autre* son sens absolu et en découvrent la relativité ; bon gré, mal gré, individus et groupes sont bien obligés de reconnaître la réciprocité de leur rapport. Comment donc se fait-il qu'entre les sexes cette réciprocité n'ait pas été posée, que l'un des termes se soit affirmé comme le seul essentiel, niant toute relativité par rapport à son corrélatif, définissant celui-ci comme l'altérité pure ? Pourquoi les femmes ne contestent-elles pas la souveraineté mâle ? Aucun sujet ne se pose d'emblée et spontanément comme l'inessentiel ; ce n'est pas l'Autre qui se définissant comme Autre définit l'Un : il est posé comme Autre par l'Un se posant comme Un. Mais pour que le retournement de l'Autre à l'Un ne s'opère pas, il faut qu'il se soumette à ce point de vue étranger. D'où vient en la femme cette soumission ?

Il existe d'autres cas où, pendant un temps plus ou moins long, une catégorie a réussi à en dominer absolument une autre. C'est souvent l'inégalité numérique qui confère ce privilège : la majorité impose sa loi à la minorité ou la persécute. Mais les femmes ne sont pas comme les Noirs d'Amérique, comme les Juifs, une minorité : il y a autant de femmes que d'hommes sur terre. Souvent aussi les deux groupes en présence ont d'abord été indépendants : ils s'ignoraient autrefois, ou chacun admettait l'autonomie de l'autre ; et c'est un événement historique qui a subordonné le plus faible au plus fort : la diaspora juive, l'introduction de l'esclavage en Amérique, les conquêtes coloniales sont des faits datés. Dans ces cas, pour les opprimés il y a eu un *avant* : ils ont en commun un passé, une tradition, parfois une religion, une culture. En ce sens le rapprochement établi par Bebel entre les femmes et le prolétariat[10] serait le mieux fondé : les prolétaires non plus se sont pas en infériorité numérique et ils n'ont jamais constitué une collectivité séparée. Cependant à défaut d'*un* événement, c'est un développement historique qui explique leur existence en tant que classe et qui rend compte de la distribution de *ces* individus dans cette classe. Il n'y a pas toujours eu des prolétaires : il y a toujours eu des femmes ; elles sont femmes par leur structure physiologique ; aussi loin que l'histoire remonte, elles ont toujours été subordonnées à l'homme : leur dépendance n'est pas la conséquence d'un événement ou d'un devenir, elle n'est pas *arrivée*. C'est en partie parce qu'elle échappe au caractère accidentel du fait historique que l'altérité apparaît ici comme un absolu. Une situation qui s'est créée à travers le temps peut se défaire en un autre temps : les Noirs de Haïti entre autres l'ont bien prouvé ; il semble, au contraire, qu'une condition naturelle défie le changement. En vérité pas plus que la réalité historique la nature n'est un donné immuable. Si la femme se découvre comme l'inessentiel qui jamais ne retourne à l'essentiel, c'est qu'elle n'opère pas elle-même ce retour. Les prolétaires disent « nous ». Les Noirs aussi. Se posant comme sujets ils changent en « autres » les bourgeois, les Blancs. Les femmes — sauf en certains congrès qui restent des manifestations abstraites — ne disent pas « nous » ; les hommes disent « les femmes » et elles reprennent ces mots pour se désigner elles-mêmes ; mais elles ne se posent pas authentiquement comme Sujet. Les prolétaires ont fait la révolution en Russie, les Noirs à Haïti, les Indochinois se battent en Indochine : l'action des femmes n'a jamais été qu'une agitation symbolique ; elles n'ont gagné que ce que les hommes ont bien voulu leur concéder ; elles n'ont rien pris : elles ont reçu[*]. C'est qu'elles n'ont pas les moyens concrets de se rassembler en une unité qui se poserait en s'opposant. Elles n'ont pas de passé, d'histoire, de religion qui leur soit propre ; et elles n'ont pas comme les prolétaires une solidarité de travail et d'intérêts ; il n'y a pas même entre elles cette promiscuité spatiale qui fait des Noirs d'Amérique, des Juifs des ghettos, des ouvriers de Saint-Denis ou des usines Renault une communauté. Elles vivent dispersées parmi les hommes, rattachées par l'habitat, le travail, les intérêts économiques, la condition sociale à certains hommes — père ou mari — plus étroitement qu'aux autres femmes. Bourgeoises elles sont solidaires des bourgeois et non des femmes prolétaires ; blanches des hommes blancs et non des femmes noires. Le prolétariat pourrait se proposer de massacrer la classe dirigeante ; un Juif, un Noir fanatiques pourraient rêver d'accaparer le secret de la bombe atomique et de faire une humanité tout entière juive, tout entière noire : même en songe la femme ne peut exterminer les mâles. Le lien qui l'unit à ses oppresseurs n'est comparable à aucun autre. La division des sexes est en effet un donné biologique, non un moment de l'histoire humaine. C'est au sein d'un *mitsein* originel que leur opposition s'est dessinée et elle ne l'a pas brisé. Le couple est une unité fondamentale dont les deux moitiés sont rivées l'une à l'autre : aucun clivage de la société par sexes n'est possible. C'est là ce qui caractérise fondamentalement la femme : elle est l'Autre au cœur d'une totalité dont les deux termes sont nécessaires l'un à l'autre.

On pourrait imaginer que cette réciprocité eût facilité sa libération ; quand Hercule file la laine au pied

[*] Cf. deuxième partie, § 5.

d'Omphale, son désir l'enchaîne : pourquoi Omphale n'a-t-elle pas réussi à acquérir un durable pouvoir ? Pour se venger de Jason, Médée tue ses enfants : cette sauvage légende suggère que du lien qui l'attache à l'enfant la femme aurait pu tirer un ascendant redoutable. Aristophane a imaginé plaisamment dans *Lysistrata* une assemblée de femmes où celles-ci eussent tenté d'exploiter en commun à des fins sociales le besoin que les hommes ont d'elles : mais ce n'est qu'une comédie. La légende qui prétend que les Sabines ravies ont opposé à leurs ravisseurs une stérilité obstinée raconte aussi qu'en les frappant de lanières de cuir les hommes ont eu magiquement raison de leur résistance. Le besoin biologique — désir sexuel et désir d'une postérité — qui met le mâle sous la dépendance de la femelle n'a pas affranchi socialement la femme. Le maître et l'esclave aussi sont unis par un besoin économique réciproque qui ne libère pas l'esclave. C'est que dans le rapport du maître à l'esclave, le maître ne *pose* pas le besoin qu'il a de l'autre ; il détient le pouvoir de satisfaire ce besoin et ne le médiatise pas ; au contraire l'esclave dans la dépendance, espoir ou peur, intériorise le besoin qu'il a du maître ; l'urgence du besoin fût-elle égale en tous deux joue toujours en faveur de l'oppresseur contre l'opprimé : c'est ce qui explique que la libération de la classe ouvrière par exemple ait été si lente. Or la femme a toujours été, sinon l'esclave de l'homme, du moins sa vassale ; les deux sexes ne se sont jamais partagé le monde à égalité ; et aujourd'hui encore, bien que sa condition soit en train d'évoluer, la femme est lourdement handicapée. En presque aucun pays son statut légal n'est identique à celui de l'homme et souvent il la désavantage considérablement. Même lorsque des droits lui sont abstraitement reconnus, une longue habitude empêche qu'ils ne trouvent dans les mœurs leur expression con-

crète. Économiquement hommes et femmes constituent presque deux castes ; toutes choses égales, les
premiers ont des situations plus avantageuses, des salaires plus élevés, plus de chances de réussite que leurs
concurrentes de fraîche date ; ils occupent dans l'indus-
trie, la politique, etc., un beaucoup plus grand nombre
de places et ce sont eux qui détiennent les postes les
plus importants. Outre les pouvoirs concrets qu'ils
possèdent, ils sont revêtus d'un prestige dont toute
l'éducation de l'enfant maintient la tradition : le présent enveloppe le passé, et dans le passé toute l'histoire a été faite par les mâles. Au moment où les
femmes commencent à prendre part à l'élaboration du
monde, ce monde est encore un monde qui appartient
aux hommes : ils n'en doutent pas, elles en doutent à
peine. Refuser d'être l'Autre, refuser la complicité avec
l'homme, ce serait pour elles renoncer à tous les avantages que l'alliance avec la caste supérieure peut leur
conférer. L'homme-suzerain protégera matériellement
la femme-lige et il se chargera de justifier son existence : avec le risque économique elle esquive le risque
métaphysique d'une liberté qui doit inventer ses fins
sans secours. En effet, à côté de la prétention de tout
individu à s'affirmer comme sujet, qui est une prétention éthique, il y a aussi en lui la tentation de fuir sa
liberté et de se constituer en chose : c'est un chemin
néfaste car passif, aliéné, perdu, il est alors la proie de
volontés étrangères, coupé de sa transcendance, frus-
tré de toute valeur. Mais c'est un chemin facile : on
évite ainsi l'angoisse et la tension de l'existence
authentiquement assumée. L'homme qui constitue la
femme comme un *Autre* rencontrera donc en elle de
profondes complicités. Ainsi, la femme ne se revendique pas comme sujet parce qu'elle n'en a pas les
moyens concrets, parce qu'elle éprouve le lien nécessaire qui la rattache à l'homme sans en poser la réci-

procité, et parce que souvent elle se complaît dans son rôle d'*Autre*.

Mais une question se pose aussitôt : comment toute cette histoire a-t-elle commencé ? On comprend que la dualité des sexes comme toute dualité se soit traduite par un conflit. On comprend que si l'un des deux réussissait à imposer sa supériorité, celle-ci devait s'établir comme absolue. Il reste à expliquer que ce soit l'homme qui ait gagné au départ. Il semble que les femmes auraient pu remporter la victoire ; ou la lutte aurait pu ne jamais se résoudre. D'où vient que ce monde a toujours appartenu aux hommes et que seulement aujourd'hui les choses commencent à changer ? Ce changement est-il un bien ? Amènera-t-il ou non un égal partage du monde entre hommes et femmes ?

Ces questions sont loin d'être neuves ; on y a fait déjà quantité de réponses ; mais précisément le seul fait que la femme est *Autre* conteste toutes les justifications que les hommes ont jamais pu en donner : elles leur étaient trop évidemment dictées par leur intérêt. « Tout ce qui a été écrit par les hommes sur les femmes doit être suspect, car ils sont à la fois juge et partie », a dit au XVIIe siècle Poulain de la Barre[11], féministe peu connu. Partout, en tout temps, les mâles ont étalé la satisfaction qu'ils éprouvent à se sentir les rois de la création. « Béni soit Dieu notre Seigneur et le Seigneur de tous les mondes qu'Il ne m'ait pas fait femme », disent les Juifs dans leurs prières matinales ; cependant que leurs épouses murmurent avec résignation : « Béni soit le Seigneur qu'Il m'ait créée selon sa volonté. » Parmi les bienfaits dont Platon remerciait les dieux, le premier était qu'ils l'aient créé libre et non esclave, le second homme et non femme. Mais les mâles n'auraient pu jouir pleinement de ce privilège s'ils ne l'avaient considéré comme fondé dans l'absolu et dans l'éternité : du fait de leur suprématie ils ont cherché à faire un droit. « Ceux qui ont fait et compilé les lois étant des hommes ont favorisé leur sexe, et les jurisconsultes ont tourné les lois en principes », dit encore Poulain de la Barre. Législateurs, prêtres, philosophes, écrivains, savants se sont acharnés à démontrer que la condition subordonnée de la femme était voulue dans le ciel et profitable à la terre. Les religions forgées par les hommes reflètent cette volonté de domination : dans les légendes d'Ève, de Pandore, ils ont puisé des armes. Ils ont mis la philosophie, la théologie à leur service comme on a vu par les phrases d'Aristote, de saint Thomas que nous avons citées. Depuis l'Antiquité, satiristes et moralistes se sont complu à faire le tableau des faiblesses féminines. On sait quels violents réquisitoires ont été dressés contre elles à travers toute la littérature française : Montherlant[12] reprend avec moins de verve la tradition de Jean de Meung. Cette hostilité paraît quelquefois fondée, souvent gratuite ; en vérité elle recouvre une volonté d'autojustification plus ou moins adroitement masquée. « Il est plus facile d'accuser un sexe que d'excuser l'autre », dit Montaigne[13]. En certains cas le processus est évident. Il est frappant par exemple que le code romain pour limiter les droits de la femme invoque « l'imbécillité, la fragilité du sexe » au moment où par l'affaiblissement de la famille elle devient un danger pour les héritiers mâles. Il est frappant qu'au XVIe siècle, pour tenir la femme mariée en tutelle, on fasse appel à l'autorité de saint Augustin, déclarant que « la femme est une beste qui n'est ni ferme ni estable » alors que la célibataire est reconnue capable de gérer ses biens. Montaigne a fort bien compris l'arbitraire et l'injustice du sort assigné à la femme : « Les femmes n'ont pas du tout tort quand elles refusent les règles qui sont introduites au monde, d'autant que ce sont les hommes qui les ont faites sans elles. Il y a naturellement brigue et riotte entre elles et nous[14] » ; mais il ne va pas jusqu'à se faire leur champion. C'est seulement au XVIIIᵉ que des hommes profondément démocrates envisagent la question avec objectivité. Diderot[15] entre autres s'attache à démontrer que la femme est comme l'homme un être humain. Un peu plus tard Stuart Mill[16] la défend avec ardeur. Mais ces philosophes sont d'une exceptionnelle impartialité. Au XIXᵉ siècle la querelle du féminisme[17] devient à nouveau une querelle de partisans ; une des conséquences de la révolution industrielle, c'est la participation de la femme au travail producteur : à ce moment les revendications féministes sortent du domaine théorique, elles trouvent des bases économiques ; leurs adversaires deviennent d'autant plus agressifs ; quoique la propriété foncière soit en partie détrônée, la bourgeoisie s'accroche à la vieille morale qui voit dans la solidité de la famille le garant de la propriété privée : elle réclame la femme au foyer d'autant plus âprement que son émancipation devient une véritable menace ; à l'intérieur même de la classe ouvrière, les hommes ont essayé de freiner cette libération parce que les femmes leur apparaissaient comme de dangereuses concurrentes et d'autant plus qu'elles étaient habituées à travailler à de bas salaires*. Pour prouver l'infériorité de la femme, les antiféministes ont alors mis à contribution non seulement comme naguère la religion, la philosophie, la théologie mais aussi la science : biologie, psychologie expérimentale, etc. Tout au plus consentait-on à accorder à l'*autre* sexe « l'égalité dans la différence ». Cette formule qui a fait fortune est très significative : c'est exactement celle qu'utilisent à propos des Noirs d'Amérique les lois Jim Crow[18] ; or, cette ségrégation soi-disant égalitaire n'a servi qu'à introduire les plus extrêmes discri-

* Voir deuxième partie, p. 202.

minations. Cette rencontre n'a rien d'un hasard : qu'il s'agisse d'une race, d'une caste, d'une classe, d'un sexe réduits à une condition inférieure, les processus de justification sont les mêmes. « L'éternel féminin » c'est l'homologue de « l'âme noire » et du « caractère juif ». Le problème juif[19] est d'ailleurs dans son ensemble très différent des deux autres : le Juif pour l'antisémite n'est pas tant un inférieur qu'un ennemi et on ne lui reconnaît en ce monde aucune place qui soit sienne ; on souhaite plutôt l'anéantir. Mais il y a de profondes analogies entre la situation des femmes et celle des Noirs : les unes et les autres s'émancipent aujourd'hui d'un même paternalisme et la caste naguère maîtresse veut les maintenir à « leur place », c'est-à-dire à la place qu'elle a choisie pour eux ; dans les deux cas elle se répand en éloges plus ou moins sincères sur les vertus du « bon Noir » à l'âme inconsciente, enfantine, rieuse, du Noir résigné, et de la femme « vraiment femme », c'est-à-dire frivole, puérile, irresponsable, la femme soumise à l'homme. Dans les deux cas elle tire argument de l'état de fait qu'elle a créé. On connaît la boutade de Bernard Shaw[20] : « L'Américain blanc, dit-il, en substance, relègue le Noir au rang de cireur de souliers : et il en conclut qu'il n'est bon qu'à cirer des souliers. » On retrouve ce cercle vicieux en toutes circonstances analogues : quand un individu ou un groupe d'individus est maintenu en situation d'infériorité, le fait est qu'il *est* inférieur ; mais c'est sur la portée du mot *être* qu'il faudrait s'entendre ; la mauvaise foi consiste à lui donner une valeur substantielle alors qu'il a le sens dynamique hégélien : *être* c'est être devenu, c'est avoir été fait tel qu'on se manifeste ; oui, les femmes dans l'ensemble *sont* aujourd'hui inférieures aux hommes, c'est-à-dire que leur situation leur ouvre de moindres possibilités : le problème c'est de savoir si cet état de choses doit se perpétuer.

Beaucoup d'hommes le souhaitent : tous n'ont pas encore désarmé. La bourgeoisie conservatrice continue à voir dans l'émancipation de la femme un danger qui menace sa morale et ses intérêts. Certains mâles redoutent la concurrence féminine. Dans l'*Hebdo-Latin*[21] un étudiant déclarait l'autre jour : « Toute étudiante qui prend une situation de médecin ou d'avocat nous *vole* une place » ; celui-là ne mettait pas en question ses droits sur ce monde. Les intérêts économiques ne jouent pas seuls. Un des bénéfices que l'oppression assure aux oppresseurs c'est que le plus humble d'entre eux se sent *supérieur* : un « pauvre Blanc » du sud des U.S.A. a la consolation de se dire qu'il n'est pas un « sale nègre » ; et les Blancs plus fortunés exploitent habilement cet orgueil. De même le plus médiocre des mâles se croit en face des femmes un demi-dieu. Il était beaucoup plus facile à M. de Montherlant de se penser un héros quand il se confrontait à des femmes (d'ailleurs choisies à dessein) que lorsqu'il a eu à tenir parmi des hommes son rôle d'homme : rôle dont beaucoup de femmes se sont acquittées mieux que lui. C'est ainsi qu'en septembre 1948 dans un de ses articles du *Figaro littéraire*, M. Claude Mauriac[22] — dont chacun admire la puissante originalité — pouvait[*] écrire à propos des femmes : « *Nous* écoutons sur un ton *(sic !)* d'indifférence polie... la plus brillante d'entre elles, sachant bien que son esprit reflète de façon plus ou moins éclatante des idées qui viennent de *nous*. » Ce ne sont évidemment pas les idées de M. C. Mauriac en personne que son interlocutrice reflète, étant donné qu'on ne lui en connaît aucune ; qu'elle reflète des idées qui viennent des hommes, c'est possible : parmi les mâles mêmes il en est plus d'un qui tient pour siennes des opinions qu'il n'a pas inventées ; on peut se demander

---

[*] Ou du moins il croyait le pouvoir.

37

si M. Claude Mauriac n'aurait pas intérêt à s'entretenir avec un bon reflet de Descartes, de Marx, de Gide plutôt qu'avec lui-même ; ce qui est remarquable, c'est que par l'équivoque du *nous* il s'identifie avec saint Paul, Hegel, Lénine, Nietzsche et du haut de leur grandeur il considère avec dédain le troupeau des femmes qui osent lui parler sur un pied d'égalité ; à vrai dire j'en sais plus d'une qui n'aurait pas la patience d'accorder à M. Mauriac un « ton d'indifférence polie ».

J'ai insisté sur cet exemple parce que la naïveté masculine y est désarmante. Il y a beaucoup d'autres manières plus subtiles dont les hommes tirent profit de l'altérité de la femme. Pour tous ceux qui souffrent de complexe d'infériorité, il y a là un liniment miraculeux : nul n'est plus arrogant à l'égard des femmes, agressif ou dédaigneux, qu'un homme inquiet de sa virilité. Ceux qui ne sont pas intimidés par leurs semblables sont aussi beaucoup plus disposés à reconnaître dans la femme un semblable ; même à ceux-ci cependant le mythe de la Femme, de l'Autre, est cher pour beaucoup de raisons[*] ; on ne saurait les blâmer de ne pas sacrifier de gaieté de cœur tous les bienfaits qu'ils en retirent : ils savent ce qu'ils perdent en renonçant à la femme telle qu'ils la rêvent, ils ignorent ce que leur apportera la femme telle qu'elle sera demain. Il faut beaucoup d'abnégation pour refuser de se poser comme le Sujet unique et absolu. D'ailleurs la grande majorité

---

[*] L'article de Michel Carrouges paru sur ce thème dans le numéro 292 des *Cahiers du Sud* est significatif[23]. Il écrit avec indignation : « L'on voudrait qu'il n'y ait point de mythe de la femme mais seulement une cohorte de cuisinières, de matrones, de filles de joie, de bas-bleus ayant fonction de plaisir ou fonction d'utilité ! » C'est dire que selon lui la femme n'a pas d'existence pour soi ; il considère seulement sa *fonction* dans le monde mâle. Sa finalité est en l'homme ; alors en effet on peut préférer sa « fonction » poétique à toute autre. La question est précisément de savoir pourquoi ce serait par rapport à l'homme qu'il faudrait la définir.

des hommes n'assume pas explicitement cette prétention. Ils ne *posent* pas la femme comme une inférieure : ils sont aujourd'hui trop pénétrés de l'idéal démocratique pour ne pas reconnaître en tous les êtres humains des égaux. Au sein de la famille, la femme est apparue à l'enfant, au jeune homme comme revêtue de la même dignité sociale que les adultes mâles ; ensuite il a éprouvé dans le désir et l'amour la résistance, l'indépendance, de la femme désirée et aimée ; marié, il respecte dans sa femme l'épouse, la mère, et dans l'expérience concrète de la vie conjugale elle s'affirme en face de lui comme une liberté. Il peut donc se persuader qu'il n'y a plus entre les sexes de hiérarchie sociale et qu'en gros, à travers les différences, la femme est une égale. Comme il constate cependant certaines infériorités — dont la plus importante est l'incapacité professionnelle — il met celles-ci sur le compte de la nature. Quand il a à l'égard de la femme une attitude de collaboration et de bienveillance, il thématise le principe de l'égalité abstraite ; et l'inégalité concrète qu'il constate, il ne la *pose* pas. Mais dès qu'il entre en conflit avec elle, la situation se renverse : il thématisera l'inégalité concrète et s'en autorisera même pour nier l'égalité abstraite[*]. C'est ainsi que beaucoup d'hommes affirment avec une quasi bonne foi que les femmes *sont* les égales de l'homme et qu'elles n'ont rien à revendiquer, et *en même temps* : que les femmes ne pourront jamais être les égales de l'homme et que leurs revendications sont vaines. C'est qu'il est difficile à l'homme de mesurer l'extrême importance de discriminations sociales qui semblent du dehors insignifiantes et dont les répercussions morales, intellectuelles sont dans la

---

[*] Par exemple l'homme déclare qu'il ne trouve sa femme en rien diminuée parce qu'elle n'a pas de métier : la tâche du foyer est aussi noble, etc. Cependant à la première dispute il s'exclame : « Tu serais bien incapable de gagner ta vie sans moi. »

femme si profondes qu'elles peuvent paraître avoir leur source dans une nature originelle*. L'homme qui a le plus de sympathie pour la femme ne connaît jamais bien sa situation concrète. Aussi n'y a-t-il pas lieu de croire les mâles quand ils s'efforcent de défendre des privilèges dont ils ne mesurent même pas toute l'étendue. Nous ne nous laisserons donc pas intimider par le nombre et la violence des attaques dirigées contre les femmes ; ni circonvenir par les éloges intéressés qui sont décernés à la « vraie femme » ; ni gagner par l'enthousiasme que suscite sa destinée chez des hommes qui ne voudraient pour rien au monde la partager.

Cependant nous ne devons pas considérer avec moins de méfiance les arguments des féministes : bien souvent le souci polémique leur ôte toute valeur. Si la « question des femmes » est si oiseuse c'est que l'arrogance masculine en a fait une « querelle » ; quand on se querelle, on ne raisonne plus bien. Ce qu'on a cherché inlassablement à prouver c'est que la femme est supérieure, inférieure ou égale à l'homme : créée après Adam, elle est évidemment un être secondaire, ont dit les uns ; au contraire, ont dit les autres, Adam n'était qu'une ébauche et Dieu a réussi l'être humain dans sa perfection quand il a créé Ève ; son cerveau est le plus petit : mais il est relativement le plus grand ; le Christ s'est fait homme : c'est peut-être par humilité. Chaque argument appelle aussitôt son contraire et souvent tous deux portent à faux. Si on veut tenter d'y voir clair il faut sortir de ces ornières ; il faut refuser les vagues notions de supériorité, infériorité, égalité qui ont perverti toutes les discussions et repartir à neuf.

Mais alors comment poserons-nous la question ? Et d'abord qui sommes-nous pour la poser ? Les hommes

* Décrire ce processus fera précisément l'objet du volume II de cette étude.

sont juge et partie : les femmes aussi. Où trouver un ange ? En vérité un ange serait mal qualifié pour parler, il ignorerait toutes les données du problème ; quant à l'hermaphrodite, c'est un cas bien singulier : il n'est pas à la fois homme et femme mais plutôt ni homme ni femme. Je crois que pour élucider la situation de la femme, ce sont encore certaines femmes qui sont le mieux placées. C'est un sophisme que de prétendre enfermer Épiménide dans le concept de Crétois et les Crétois dans celui de menteur : ce n'est pas une mystérieuse essence qui dicte aux hommes et aux femmes la bonne ou la mauvaise foi ; c'est leur situation qui les dispose plus ou moins à la recherche de la vérité. Beaucoup de femmes d'aujourd'hui, ayant eu la chance de se voir restituer tous les privilèges de l'être humain, peuvent s'offrir le luxe de l'impartialité : nous en éprouvons même le besoin. Nous ne sommes plus comme nos aînées des combattantes[24] ; en gros nous avons gagné la partie ; dans les dernières discussions sur le statut de la femme, l'O.N.U. n'a cessé de réclamer impérieusement que l'égalité des sexes achève de se réaliser, et déjà nombre d'entre nous n'ont jamais eu à éprouver leur féminité comme une gêne ou un obstacle ; beaucoup de problèmes nous paraissent plus essentiels que ceux qui nous concernent singulièrement : ce détachement même nous permet d'espérer que notre attitude sera objective. Cependant nous connaissons plus intimement que les hommes le monde féminin parce que nous y avons nos racines ; nous saisissons plus immédiatement ce que signifie pour un être humain le fait d'être féminin ; et nous nous soucions davantage de le savoir. J'ai dit qu'il y avait des problèmes plus essentiels ; il n'empêche que celui-ci garde à nos yeux quelque importance : en quoi le fait d'être des femmes aura-t-il affecté notre vie ? Quelles chances exactement nous ont été données, et lesquelles refusées ? Quel sort peuvent attendre nos sœurs plus jeunes, et dans quel sens faut-il les orienter ? Il est frappant que l'ensemble de la littérature féminine soit animée de nos jours beaucoup moins par une volonté de revendication que par un effort de lucidité ; au sortir d'une ère de polémiques désordonnées, ce livre est une tentative parmi d'autres pour faire le point.

Mais sans doute est-il impossible de traiter aucun problème humain sans parti pris : la manière même de poser les questions, les perspectives adoptées, supposent des hiérarchies d'intérêts ; toute qualité enveloppe des valeurs ; il n'est pas de description soi-disant objective qui ne s'enlève sur un arrière-plan éthique. Au lieu de chercher à dissimuler les principes que plus ou moins explicitement on sous-entend, mieux vaut d'abord les poser ; ainsi on ne se trouve pas obligé de préciser à chaque page quel sens on donne aux mots : supérieur, inférieur, meilleur, pire, progrès, régression, etc. Si nous passons en revue quelques-uns des ouvrages consacrés à la femme, nous voyons qu'un des points de vue le plus souvent adopté, c'est celui du bien public, de l'intérêt général : en vérité chacun entend par là l'intérêt de la société telle qu'il souhaite la maintenir ou l'établir. Nous estimons quant à nous qu'il n'y a d'autre bien public que celui qui assure le bien privé des citoyens ; c'est du point de vue des chances concrètes données aux individus que nous jugeons les institutions. Mais nous ne confondons pas non plus l'idée d'intérêt privé avec celle de bonheur : c'est là un autre point de vue qu'on rencontre fréquemment ; les femmes de harem ne sont-elles pas plus heureuses qu'une électrice ? La ménagère n'est-elle pas plus heureuse que l'ouvrière ? On ne sait trop ce que le mot bonheur signifie et encore moins quelles valeurs authentiques il recouvre ; il n'y a aucune possibilité de mesurer le bonheur d'autrui et il est toujours facile de déclarer heureuse la situation qu'on veut lui imposer : ceux qu'on condamne à la stagnation en particulier, on les déclare heureux sous prétexte que le bonheur est immobilité. C'est donc une notion à laquelle nous ne nous référerons pas. La perspective que nous adoptons, c'est celle de la morale existentialiste. Tout sujet se pose concrètement à travers des projets comme une transcendance ; il n'accomplit sa liberté que par son perpétuel dépassement vers d'autres libertés ; il n'y a d'autre justification de l'existence présente que son expansion vers un avenir indéfiniment ouvert. Chaque fois que la transcendance retombe en immanence il y a dégradation de l'existence en « en soi », de la liberté en facticité ; cette chute est une faute morale si elle est consentie par le sujet ; si elle lui est infligée, elle prend la figure d'une frustration et d'une oppression ; elle est dans les deux cas un mal absolu. Tout individu qui a le souci de justifier son existence éprouve celle-ci comme un besoin indéfini de se transcender. Or, ce qui définit d'une manière singulière la situation de la femme, c'est que, étant comme tout être humain, une liberté autonome, elle se découvre et se choisit dans un monde où les hommes lui imposent de s'assumer comme l'Autre : on prétend la figer en objet, et la vouer à l'immanence, puisque sa transcendance sera perpétuellement transcendée par une autre conscience essentielle et souveraine. Le drame de la femme, c'est ce conflit entre la revendication fondamentale de tout sujet qui se pose toujours comme l'essentiel et les exigences d'une situation qui la constitue comme inessentielle. Comment dans la condition féminine peut s'accomplir un être humain ? Quelles voies lui sont ouvertes ? Lesquelles aboutissent à des impasses ? Comment retrouver l'indépendance au sein de la dépendance ? Quelles circonstances limitent la liberté de la femme et peut-elle les dépasser ? Ce sont là les questions fondamentales que nous voudrions éluci-

La femme indépendante

Le code français ne range plus l'obéissance au nombre des devoirs de l'épouse et chaque citoyenne est devenue une électrice[1] ; ces libertés civiques demeurent abstraites quand elles ne s'accompagnent pas d'une autonomie économique ; la femme entretenue — épouse ou courtisane — n'est pas affranchie du mâle parce qu'elle a dans les mains un bulletin de vote ; si les mœurs lui imposent moins de contraintes qu'autrefois, ces licences négatives n'ont pas modifié profondément sa situation ; elle reste enfermée dans sa condition de vassale. C'est par le travail que la femme a en grande partie franchi la distance qui la séparait du mâle ; c'est le travail qui peut seul lui garantir une liberté concrète. Dès qu'elle cesse d'être une parasite, le système fondé sur sa dépendance s'écroule ; entre elle et l'univers il n'est plus besoin d'un médiateur masculin. La malédiction qui pèse sur la femme vassale, c'est qu'il ne lui est permis de rien faire : alors, elle s'entête dans l'impossible poursuite de l'être à travers le narcissisme, l'amour, la religion[2] ; productrice, active, elle reconquiert sa transcendance ; dans ses projets elle s'affirme concrètement comme sujet ; par son rapport avec le but qu'elle poursuit, avec l'argent et les droits qu'elle s'approprie, elle éprouve sa responsabilité. Beaucoup de femmes ont conscience de ces avantages, même parmi celles qui exercent les métiers les plus modestes. J'ai entendu une femme de journée, en train de laver le carreau d'un hall d'hôtel, qui déclarait : « Je n'ai jamais rien demandé à personne. Je suis arrivée toute seule. » Elle était aussi fière de se suffire qu'un Rockefeller. Cependant il ne faudrait pas croire que la simple juxtaposition du droit de vote et d'un métier soit une parfaite libération : le travail aujourd'hui n'est pas la liberté. C'est seulement dans un monde socialiste que la femme en accédant à l'un s'assurerait l'autre. La majorité des travailleurs sont aujourd'hui des exploités. D'autre part, la structure sociale n'a pas été profondément modifiée par l'évolution de la condition féminine ; ce monde qui a toujours appartenu aux hommes conserve encore la figure qu'ils lui ont imprimée. Il ne faut pas perdre de vue ces faits d'où la question du travail féminin tire sa complexité. Une dame importante et bien pensante a fait récemment une enquête auprès des ouvrières des usines Renault : elle affirme que celles-ci préféreraient rester au foyer plutôt que de travailler à l'usine. Sans doute, elles n'accèdent à l'indépendance économique qu'au sein d'une classe économiquement opprimée ; et d'autre part les tâches accomplies à l'usine ne les dispensent pas des corvées du foyer[*]. Si on leur avait proposé de choisir entre quarante heures de travail hebdomadaire à l'usine *ou* dans la maison, elles auraient sans doute fourni de tout autres réponses ; et peut-être même accepteraient-elles allégrement le cumul si en tant qu'ouvrières elles s'intégraient à un monde qui serait leur monde, à l'élaboration duquel elles participeraient avec joie et orgueil. À l'heure qu'il est, sans

---

* J'ai dit dans *Le Deuxième Sexe*, t. Ier, 2e partie « Histoire », section v, combien celles-ci sont lourdes pour la femme qui travaille dehors[3].

même parler des paysannes[*], la majorité des femmes qui travaillent ne s'évadent pas du monde féminin traditionnel ; elles ne reçoivent pas de la société, ni de leur mari, l'aide qui leur serait nécessaire pour devenir concrètement les égales des hommes. Seules celles qui ont une foi politique, qui militent dans les syndicats, qui font confiance à l'avenir, peuvent donner un sens éthique aux ingrates fatigues quotidiennes ; mais privées de loisirs, héritant d'une tradition de soumission, il est normal que les femmes commencent seulement à développer un sens politique et social. Il est normal que, ne recevant pas en échange de leur travail les bénéfices moraux et sociaux qu'elles seraient en droit d'escompter, elles en subissent sans enthousiasme les contraintes. On comprend aussi que la midinette, l'employée, la secrétaire ne veuillent pas renoncer aux avantages d'un appui masculin. J'ai dit déjà que l'existence d'une caste privilégiée à laquelle il lui est permis de s'agréger rien qu'en livrant son corps est pour une jeune femme une tentation presque irrésistible ; elle est vouée à la galanterie du fait que ses salaires sont minimes tandis que le standard de vie que la société exige d'elle est très haut ; si elle se contente de ce qu'elle gagne, elle ne sera qu'une paria : mal logée, mal vêtue, toutes les distractions et l'amour même lui seront refusés. Les gens vertueux lui prêchent l'ascétisme ; en vérité, son régime alimentaire est souvent aussi austère que celui d'une carmélite ; seulement, tout le monde ne peut pas prendre Dieu pour amant : il faut qu'elle plaise aux hommes pour réussir sa vie de femme. Elle se fera donc aider : c'est ce qu'escompte cyniquement l'employeur qui lui alloue un salaire de famine. Parfois, cette aide lui permettra d'améliorer sa situation et de conquérir une véritable indépendance ; parfois, au

* Dont nous avons examiné la condition, t. Ier, *ibid.*, p. 229.

47

contraire, elle abandonnera son métier pour se faire entretenir. Souvent elle cumule ; elle se libère de son amant par le travail, elle s'évade de son travail grâce à l'amant ; mais aussi elle connaît la double servitude d'un métier et d'une protection masculine. Pour la femme mariée, le salaire ne représente en général qu'un appoint ; pour la « femme qui se fait aider », c'est le secours masculin qui apparaît comme inessentiel ; mais ni l'une ni l'autre n'achètent par leur effort personnel une totale indépendance.

Cependant, il existe aujourd'hui un assez grand nombre de privilégiées qui trouvent dans leur profession une autonomie économique et sociale. Ce sont elles qu'on met en cause quand on s'interroge sur les possibilités de la femme et sur son avenir. C'est pourquoi bien qu'elles ne constituent encore qu'une minorité, il est particulièrement intéressant d'étudier de près leur situation ; c'est à leur propos que les débats entre féministes et antiféministes se prolongent. Ceux-ci affirment que les femmes émancipées d'aujourd'hui ne réussissent dans le monde rien d'important et que, d'autre part, elles ont peine à trouver leur équilibre intérieur. Ceux-là exagèrent les résultats qu'elles obtiennent et s'aveuglent sur leur désarroi. En vérité, rien n'autorise à dire qu'elles font fausse route ; et cependant il est certain qu'elles ne sont pas tranquillement installées dans leur nouvelle condition : elles ne sont encore qu'à moitié du chemin. La femme qui s'affranchit économiquement de l'homme n'est pas pour autant dans une situation morale, sociale, psychologique identique à celle de l'homme. La manière dont elle s'engage dans sa profession et dont elle s'y consacre dépend du contexte constitué par la forme globale de sa vie. Or, quand elle aborde sa vie d'adulte, elle n'a pas derrière elle le même passé qu'un garçon ; elle n'est pas considérée par la société avec les mêmes yeux ; l'univers se

48

présente à elle dans une perspective différente. Le fait d'être une femme pose aujourd'hui à un être humain autonome des problèmes singuliers.

Le privilège que l'homme détient et qui se fait sentir dès son enfance, c'est que sa vocation d'être humain ne contrarie pas sa destinée de mâle. Par l'assimilation du phallus et de la transcendance, il se trouve que ses réussites sociales ou spirituelles le douent d'un prestige viril. Il n'est pas divisé. Tandis qu'il est demandé à la femme pour accomplir sa féminité de se faire objet et proie, c'est-à-dire de renoncer à ses revendications de sujet souverain. C'est ce conflit qui caractérise singulièrement la situation de la femme affranchie. Elle refuse de se cantonner dans son rôle de femelle parce qu'elle ne veut pas se mutiler ; mais ce serait aussi une mutilation de répudier son sexe. L'homme est un être humain sexué ; la femme n'est un individu complet, et l'égale du mâle, que si elle est aussi un être humain sexué. Renoncer à sa féminité, c'est renoncer à une part de son humanité. Les misogynes ont souvent reproché aux femmes de tête de « se négliger » ; mais ils leur ont aussi prêché : si vous voulez être nos égales, cessez de vous peindre la figure et de vernir vos ongles. Ce dernier conseil est absurde. Précisément parce que l'idée de féminité est définie artificiellement par les coutumes et les modes, elle s'impose du dehors à chaque femme ; elle peut évoluer de manière que ses canons se rapprochent de ceux adoptés par les mâles : sur les plages, le pantalon est devenu féminin. Cela ne change rien au fond de la question : l'individu n'est pas libre de la modeler à sa guise. Celle qui ne s'y conforme pas se dévalue sexuellement et par conséquent socialement puisque la société a intégré les valeurs sexuelles. En refusant des attributs féminins, on n'acquiert pas des attributs virils ; même la travestie ne réussit pas à faire d'elle-même un homme : c'est une travestie. On a vu[4] que l'homosexualité constitue elle aussi une spécification : la neutralité est impossible. Il n'est aucune attitude négative qui n'implique une contrepartie positive. L'adolescente croit souvent qu'elle peut simplement mépriser les conventions ; mais par là même elle manifeste ; elle crée une situation nouvelle entraînant des conséquences qu'il lui faudra assumer[5]. Dès qu'on se soustrait à un code établi on devient un insurgé. Une femme qui s'habille de manière extravagante ment quand elle affirme avec un air de simplicité qu'elle suit son bon plaisir, rien de plus : elle sait parfaitement que suivre son bon plaisir est une extravagance. Inversement, celle qui ne souhaite pas faire figure d'excentrique se conforme aux règles communes. À moins qu'il ne représente une action positivement efficace, c'est un mauvais calcul que de choisir le défi : on y consume plus de temps et de forces qu'on n'en économise. Une femme qui ne désire pas choquer, qui n'entend pas socialement se dévaluer doit vivre en femme sa condition de femme : très souvent sa réussite professionnelle même l'exige. Mais tandis que le conformisme est pour l'homme tout naturel — la coutume s'étant réglée sur ses besoins d'individu autonome et actif — il faudra que la femme qui est elle aussi sujet, activité, se coule dans un monde qui l'a vouée à la passivité. C'est une servitude d'autant plus lourde que les femmes confinées dans la sphère féminine en ont hypertrophié l'importance : de la toilette, du ménage, elles ont fait des arts difficiles. L'homme n'a guère à se soucier de ses vêtements ; ils sont commodes, adaptés à sa vie active, il n'est pas besoin qu'ils soient recherchés ; à peine font-ils partie de sa personnalité ; en outre, nul ne s'attend qu'il les entretienne lui-même : quelque femme bénévole ou rémunérée le décharge de ce soin. La femme au contraire sait que quand on la

50

regarde on ne la distingue pas de son apparence : elle est jugée, respectée, désirée à travers sa toilette. Ses vêtements ont été primitivement destinés à la vouer à l'impotence et ils sont demeurés fragiles : les bas se déchirent ; les talons s'éculent, les blouses et les robes claires se salissent, les plissés se déplissent ; cependant, elle devra réparer elle-même la plupart de ces accidents ; ses semblables ne viendront pas bénévolement à son secours et elle aura scrupule à grever encore son budget pour des travaux qu'elle *peut* exécuter elle-même : les permanentes, mises en plis, fards, robes neuves coûtent déjà assez cher. Quand elles rentrent le soir, la secrétaire, l'étudiante ont toujours un bas à remailler, une blouse à laver, une jupe à repasser. La femme qui gagne largement sa vie s'épargnera ces corvées ; mais elle sera astreinte à une élégance plus compliquée, elle perdra du temps en courses, essayages, etc. La tradition impose aussi à la femme, même célibataire, un certain souci de son intérieur ; un fonctionnaire nommé dans une ville nouvelle habite facilement l'hôtel ; sa collègue cherchera à s'installer un « chez-soi » ; elle devra l'entretenir avec scrupule car on n'excuserait pas chez elle une négligence qu'on trouverait naturelle chez un homme. Ce n'est pas d'ailleurs le seul souci de l'opinion qui l'incite à consacrer du temps et des soins à sa beauté, à son ménage. Elle désire pour sa propre satisfaction demeurer une vraie femme. Elle ne réussit à s'approuver à travers le présent et le passé qu'en cumulant la vie qu'elle s'est faite avec la destinée que sa mère, que ses jeux d'enfant et ses fantasmes d'adolescente lui avaient préparée. Elle a nourri des rêves narcissistes ; à l'orgueil phallique du mâle elle continue à opposer le culte de son image ; elle veut s'exhiber, charmer. Sa mère, ses aînées, lui ont insufflé le goût du nid : un intérieur à elle, ç'a été la forme primitive de ses rêves d'indépendance ; elle n'entend pas les renier même quand elle a trouvé la liberté sur d'autres chemins. Et dans la mesure où elle se sent encore mal assurée dans l'univers masculin, elle garde le besoin d'une retraite, symbole de ce refuge intérieur qu'elle a été habituée à chercher en soi-même. Docile à la tradition féminine, elle cirera ses parquets, elle fera elle-même sa cuisine, au lieu d'aller, comme son collègue, manger au restaurant. Elle veut vivre à la fois comme un homme et comme une femme : par là elle multiplie ses tâches et ses fatigues.

Si elle entend demeurer pleinement femme, c'est qu'elle entend aussi aborder l'autre sexe avec le maximum de chances. C'est dans le domaine sexuel que les problèmes les plus difficiles vont se poser. Pour être un individu complet, l'égale de l'homme, il faut que la femme ait accès au monde masculin comme le mâle au monde féminin, qu'elle ait accès à *l'autre* ; seulement les exigences de *l'autre* ne sont pas dans les deux cas symétriques. Une fois conquises, la fortune, la célébrité, apparaissant comme des vertus immanentes, peuvent augmenter l'attrait sexuel de la femme ; mais le fait d'être une activité autonome contredit sa féminité : elle le sait. La femme indépendante — et surtout l'intellectuelle qui pense sa situation — souffrira en tant que femelle d'un complexe d'infériorité ; elle n'a pas les loisirs de consacrer à sa beauté des soins aussi attentifs que la coquette dont le seul souci est de séduire ; elle aura beau suivre les conseils des spécialistes, elle ne sera jamais au domaine de l'élégance qu'un amateur ; le charme féminin exige que la transcendance se dégradant en immanence n'apparaisse plus que comme une subtile palpitation charnelle ; il faut être une proie spontanément offerte : l'intellectuelle sait qu'elle s'offre, elle sait qu'elle est une conscience, un sujet ; on ne réussit pas à volonté à tuer son regard et à changer ses yeux en une flaque de ciel ou d'eau ;

on n'arrête pas à coup sûr l'élan d'un corps qui se tend vers le monde pour le métamorphoser en une statue animée de sourdes vibrations. L'intellectuelle essaiera avec d'autant plus de zèle qu'elle a peur d'échouer : mais ce zèle conscient est encore une activité et il manque son but. Elle commet des erreurs analogues à celles que suggère la ménopause : elle essaie de nier sa cérébralité comme la femme vieillissante essaie de nier son âge ; elle s'habille en petite fille, elle se surcharge de fleurs, de falbalas, d'étoffes criardes ; elle exagère les mimiques enfantines et émerveillées. Elle folâtre, sautille, babille, elle joue la désinvolture, l'étourderie, le primesaut. Mais elle ressemble à ces acteurs qui faute d'éprouver l'émotion qui entraînerait la détente de certains muscles contractent par un effort de volonté les antagonistes, abaissant les paupières ou les coins de la bouche au lieu de les laisser tomber ; ainsi la femme de tête pour mimer l'abandon se crispe. Elle le sent, elle s'en irrite ; dans le visage éperdu de naïveté passe soudain un éclat d'intelligence trop aigu ; les lèvres prometteuses se pincent. Si elle a du mal à plaire c'est qu'elle n'est pas comme ses petites sœurs esclaves une pure volonté de plaire ; le désir de séduire, si vif qu'il soit, n'est pas descendu au fond de ses os ; dès qu'elle se sent maladroite, elle s'irrite de sa servilité ; elle veut prendre sa revanche en jouant le jeu avec des armes masculines : elle parle au lieu d'écouter, elle étale des pensées subtiles, des émotions inédites ; elle contredit son interlocuteur au lieu de l'approuver, elle essaie de prendre le dessus sur lui. Mme de Staël mélangeait assez adroitement les deux méthodes pour remporter des triomphes foudroyants : il était rare qu'on lui résistât. Mais l'attitude de défi, si fréquente entre autres chez les Américaines, agace les hommes plus souvent qu'elle ne les domine ; ce sont eux d'ailleurs qui l'attirent par leur propre défiance ; s'ils acceptaient d'aimer au lieu d'une esclave une semblable — comme le font d'ailleurs ceux d'entre eux qui sont à la fois dénués d'arrogance et de complexe d'infériorité — les femmes seraient beaucoup moins hantées par le souci de leur féminité ; elles y gagneraient du naturel, de la simplicité, et elles se retrouveraient femmes sans tant de peine puisque, après tout, elles le sont.

Le fait est que les hommes commencent à prendre leur parti de la condition nouvelle de la femme ; ne se sentant plus a priori condamnée, celle-ci a retrouvé beaucoup d'aisance : aujourd'hui la femme qui travaille ne néglige pas pour autant sa féminité et elle ne perd pas son attrait sexuel. Cette réussite — qui marque déjà un progrès vers l'équilibre — demeure cependant incomplète ; il est encore beaucoup plus difficile à la femme qu'à l'homme d'établir avec l'autre sexe les relations qu'elle désire. Sa vie érotique et sentimentale rencontre de nombreux obstacles. Sur ce point la femme vassale n'est d'ailleurs aucunement privilégiée : sexuellement et sentimentalement, la majorité des épouses et des courtisanes sont radicalement frustrées. Si les difficultés sont plus évidentes chez la femme indépendante, c'est qu'elle n'a pas choisi la résignation mais la lutte. Tous les problèmes vivants trouvent dans la mort une solution silencieuse ; une femme qui s'emploie à vivre est donc plus divisée que celle qui enterre sa volonté et ses désirs ; mais elle n'acceptera pas qu'on lui offre celle-ci en exemple. C'est seulement en se comparant à l'homme qu'elle s'estimera désavantagée.

Une femme qui se dépense, qui a des responsabilités, qui connaît l'âpreté de la lutte contre les résistances du monde, a besoin — comme le mâle — non seulement d'assouvir ses désirs physiques mais de connaître la détente, la diversion, qu'apportent d'heureuses aventures sexuelles. Or, il y a encore des milieux où cette liberté ne lui est pas concrètement reconnue ; elle risque, si elle en use, de compromettre sa réputation, sa carrière ; du moins réclame-t-on d'elle une hypocrisie qui lui pèse. Plus elle a réussi à s'imposer socialement, plus on fermera volontiers les yeux ; mais, en province surtout, elle est dans la plupart des cas sévèrement épiée. Même dans les circonstances les plus favorables — quand la crainte de l'opinion ne joue plus — sa situation n'est pas équivalente ici à celle de l'homme. Les différences proviennent à la fois de la tradition et des problèmes que pose la nature singulière de l'érotisme féminin.

L'homme peut facilement connaître des étreintes sans lendemain qui suffisent à la rigueur à calmer sa chair et à le détendre moralement. Il y a eu des femmes — en petit nombre — pour réclamer que l'on ouvrît des bordels pour femmes ; dans un roman intitulé *Le Numéro 17*, une femme proposait qu'on créât des maisons où les femmes pourraient aller se faire « soulager sexuellement » par des sortes de « taxi-boys »[*]. Il paraît qu'un établissement de ce genre exista naguère à San Francisco ; seules le fréquentaient les filles de bordel, tout amusées de payer au lieu de se faire payer : leurs souteneurs le firent fermer. Outre que cette solution est utopique et peu souhaitable, elle aurait sans doute peu de succès : on a vu[6] que la femme n'obtenait pas un « soulagement » aussi mécaniquement que l'homme ; la plupart estimeraient la situation peu propice à un abandon voluptueux. En tout cas le fait est que cette ressource leur est aujourd'hui refusée. La solution qui consiste à ramasser dans la

[*] L'auteur — dont j'ai oublié le nom, oubli qu'il ne semble pas urgent de réparer — explique longuement comment ils pourraient être dressés à satisfaire n'importe quelle cliente, quel genre de vie il faudrait leur imposer, etc.

rue un partenaire d'une nuit ou d'une heure — à supposer que la femme douée d'un fort tempérament, ayant surmonté toutes ses inhibitions, l'envisage sans dégoût — est beaucoup plus dangereuse pour elle que pour le mâle. Le risque de maladie vénérienne est plus grave pour elle du fait que c'est à lui de prendre des précautions pour éviter la contamination ; et, si prudente soit-elle, elle n'est jamais tout à fait assurée contre la menace d'un enfant[7]. Mais surtout dans des relations entre inconnus — relations qui se situent sur un plan brutal — la différence de force physique compte beaucoup. Un homme n'a pas grand-chose à craindre de la femme qu'il ramène chez lui ; il suffit d'un peu de vigilance. Il n'en est pas de même pour la femme qui introduit un mâle dans sa maison. On m'a parlé de deux jeunes femmes qui, fraîchement débarquées à Paris et avides de « voir la vie », après une tournée des grands-ducs avaient invité à souper deux séduisants maquereaux de Montmartre : elles se retrouvèrent au matin dévalisées, brutalisées et menacées de chantage. Un cas plus significatif est celui de cette femme d'une quarantaine d'années, divorcée, qui travaillait durement tout le jour pour nourrir trois grands enfants et de vieux parents. Encore belle et attrayante, elle n'avait absolument pas les loisirs de mener une vie mondaine, de faire la coquette, de conduire décemment quelque entreprise de séduction qui l'eût d'ailleurs ennuyée. Cependant, elle avait des sens exigeants ; et elle estimait avoir comme un homme le droit de les apaiser. Certains soirs, elle s'en allait rôder dans les rues et elle s'arrangeait pour lever un homme. Mais une nuit, après une heure ou deux heures passées dans un fourré du bois de Boulogne, son amant ne consentit pas à la laisser partir : il voulait son nom, son adresse, la revoir, se mettre en ménage avec elle ; comme elle refusait, il la frappa violemment et ne l'abandonna que meurtrie, terrorisée. Quant à s'attacher un amant, comme souvent l'homme s'attache une maîtresse, en l'entretenant ou en l'aidant, ce n'est possible qu'aux femmes fortunées. Il en est qui s'accommodent de ce marché : payant le mâle, elles en font un instrument, ce qui leur permet d'en user avec un dédaigneux abandon. Mais il faut d'ordinaire qu'elles soient âgées pour dissocier si crûment érotisme et sentiment, alors que dans l'adolescence féminine l'union en est, on l'a vu[8], si profonde. Il y a quantité d'hommes mêmes qui n'acceptent jamais cette division entre chair et conscience. À plus forte raison, la majorité des femmes ne consentira pas à l'envisager. Il y a d'ailleurs là une duperie à laquelle elles sont plus sensibles que l'homme : le client payant est lui aussi un instrument, son partenaire s'en sert comme d'un gagne-pain. L'orgueil viril masque au mâle les équivoques du drame érotique : il se ment spontanément ; plus facilement humiliée, plus susceptible, la femme est aussi plus lucide ; elle ne réussira à s'aveugler qu'au prix d'une mauvaise foi plus rusée. S'acheter un mâle, à supposer qu'elle en ait les moyens, ne lui semblera généralement pas satisfaisant.

Il ne s'agit pas seulement pour la plupart des femmes — comme aussi des hommes — d'assouvir leurs désirs, mais de maintenir en les assouvissant leur dignité d'être humain. Quand le mâle jouit de la femme, quand il la fait jouir, il se pose comme l'unique sujet : impérieux conquérant, généreux donateur ou les deux ensemble. Elle veut réciproquement affirmer qu'elle asservit son partenaire à son plaisir et qu'elle le comble de ses dons. Aussi quand elle s'impose à l'homme soit par les bienfaits qu'elle lui promet, soit en misant sur sa courtoisie, soit en éveillant par des manœuvres son désir dans sa pure généralité, se persuade-t-elle volontiers qu'elle le comble. Grâce à cette conviction profitable, elle peut le solliciter sans se sentir humiliée puisqu'elle prétend agir par générosité. Ainsi dans *Le Blé en herbe*[9] la « dame en blanc » qui convoite les caresses de Phil lui dit avec hauteur : « Je n'aime que les mendiants et les affamés. » En vérité, elle s'arrange adroitement pour qu'il adopte une attitude de suppliant. Alors, dit Colette, « elle se hâta vers l'étroit et obscur royaume où son orgueil pouvait croire que la plainte est l'aveu de la détresse et où les quémandeuses de sa sorte boivent l'illusion de la libéralité ». Mme de Warens[10] est le type de ces femmes qui choisissent des amants jeunes ou malheureux ou de condition inférieure pour donner à leurs appétits la figure de la générosité. Mais il en est aussi d'intrépides qui s'attaquent aux mâles les plus robustes et qui s'enchantent de les combler alors qu'ils n'ont cédé que par politesse ou terreur.

Inversement, si la femme qui prend l'homme à son piège veut s'imaginer qu'elle donne, celle qui se donne entend affirmer qu'elle prend. « Moi, je suis une femme qui prends », me disait un jour une jeune journaliste. En vérité dans cette affaire, excepté dans les cas de viol, personne ne prend vraiment l'autre ; mais la femme ici se ment doublement. Car le fait est que l'homme séduit souvent par sa fougue, son agressivité, il emporte activement le consentement de sa partenaire. Sauf des cas exceptionnels — entre autres Mme de Staël que j'ai déjà citée — il n'en va pas ainsi chez la femme : elle ne peut guère faire plus que s'offrir ; car la plupart des mâles sont âprement jaloux de leur rôle ; ils veulent éveiller chez la femme un trouble singulier, non être élus pour assouvir son besoin dans sa généralité : choisis, ils se sentent exploités*. « Une femme qui n'a pas peur des hommes leur fait peur », me disait un

---

* Ce sentiment est la contrepartie de celui que nous avons indiqué chez la jeune fille. Seulement elle finit par se résigner à son destin.

58

jeune homme. Et souvent, j'ai entendu des adultes déclarer : « J'ai horreur qu'une femme prenne l'initiative. » Que la femme se propose trop hardiment, l'homme se dérobe : il tient à conquérir. La femme ne peut donc prendre qu'en se faisant proie : il faut qu'elle devienne une chose passive, une promesse de soumission. Si elle réussit, elle pensera que cette conjuration magique, elle l'a effectuée volontairement, elle se retrouvera sujet. Mais elle court le risque d'être figée en un objet inutile par le dédain du mâle. C'est pourquoi elle est si profondément humiliée s'il repousse ses avances. L'homme aussi se met parfois en colère quand il estime qu'il a été joué ; cependant, il n'a fait qu'échouer dans une entreprise, rien de plus. Au lieu que la femme a consenti à se faire chair dans le trouble, l'attente, la promesse ; elle ne pouvait gagner qu'en se perdant : elle reste perdue. Il faut être grossièrement aveugle ou exceptionnellement lucide pour prendre son parti d'une telle défaite. Et lors même que la séduction réussit, la victoire demeure équivoque ; en effet, selon l'opinion publique, c'est l'homme qui vainc, qui *a* la femme. On n'admet pas qu'elle puisse comme l'homme assumer ses désirs : elle est leur proie. Il est entendu que le mâle a intégré à son individualité les forces spécifiques : tandis que la femme est l'esclave de l'espèce*. On se la représente tantôt comme pure passivité : c'est une « Marie couche-toi là ; il n'y a que l'autobus qui ne lui soit pas passé sur le corps » ; disponible, ouverte, c'est un ustensile ; elle cède mollement à l'envoûtement du trouble, elle est fascinée par le mâle qui la cueille comme un fruit. Tantôt on la regarde comme une ac-

---

* On a vu au tome Ier, chap. Ier, qu'il y a une certaine vérité dans cette opinion. Mais ce n'est précisément pas au moment du désir que se manifeste l'asymétrie : c'est dans la procréation. Dans le désir la femme et l'homme assument identiquement leur fonction naturelle.

tivité aliénée : il y a un diable qui trépigne dans sa matrice, au fond de son vagin guette un serpent avide de se gorger du sperme mâle. En tout cas, on refuse de penser qu'elle soit simplement libre. En France surtout on confond avec entêtement femme libre et femme facile, l'idée de facilité impliquant une absence de résistance et de contrôle, un manque, la négation même de la liberté. La littérature féminine essaie de combattre ce préjugé : par exemple dans *Grisélidis*[11], Clara Malraux insiste sur le fait que son héroïne ne cède pas à un entraînement mais accomplit un acte qu'elle revendique. En Amérique, on reconnaît dans l'activité sexuelle de la femme une liberté, ce qui la favorise beaucoup. Mais le dédain qu'affectent en France pour les « femmes qui couchent » les hommes mêmes qui profitent de leurs faveurs paralyse un grand nombre de femmes. Elles ont horreur des représentations qu'elles susciteraient, des mots dont elles seraient le prétexte.

Même si la femme méprise les rumeurs anonymes, elle éprouve dans le commerce avec son partenaire des difficultés concrètes ; car l'opinion s'incarne en lui. Bien souvent, il considère le lit comme le terrain où doit s'affirmer son agressive supériorité. Il veut prendre et non recevoir, non pas échanger mais ravir. Il cherche à posséder la femme au-delà de ce qu'elle lui donne ; il exige que son consentement soit une défaite, et les mots qu'elle murmure, des aveux qu'il lui arrache ; qu'elle admette son plaisir, elle reconnaît son esclavage. Quand Claudine défie Renaud par sa promptitude à se soumettre à lui, il la devance : il se hâte de la violer alors qu'elle allait s'offrir ; il l'oblige à garder les yeux ouverts pour contempler dans leur tournoiement son triomphe. Ainsi, dans *La Condition humaine*[12], l'autoritaire Ferral s'entête à allumer la lampe que Valérie veut éteindre. Orgueilleuse, revendicante, c'est en adversaire que la femme aborde le mâle ; dans cette lutte, elle est beaucoup moins bien armée que lui ; d'abord il a la force physique et il lui est plus facile d'imposer ses volontés ; on a vu aussi que tension et activité s'harmonisent avec son érotisme tandis que la femme en refusant la passivité détruit l'envoûtement qui l'amène à la volupté ; que dans ses attitudes et ses mouvements elle mime la domination, elle ne parvient pas au plaisir : la plupart des femmes qui sacrifient à leur orgueil deviennent frigides. Rares sont les amants qui permettent à leur maîtresse d'assouvir des tendances autoritaires ou sadiques ; et plus rares encore sont les femmes qui tirent de cette docilité une pleine satisfaction érotique.

Il y a un chemin qui semble pour la femme beaucoup moins épineux : c'est celui du masochisme. Quand pendant le jour on travaille, on lutte, on prend des responsabilités et des risques, c'est une détente que de s'abandonner la nuit à des caprices puissants. Amoureuse ou naïve, la femme en effet se plaît souvent à s'anéantir au profit d'une volonté tyrannique. Mais encore faut-il qu'elle se sente réellement dominée. Il n'est pas facile à celle qui vit quotidiennement parmi des hommes de croire à l'inconditionnelle suprématie des mâles. On m'a cité le cas d'une femme non pas vraiment masochiste mais très « féminine », c'est-à-dire qui goûtait profondément le plaisir de l'abdication entre des bras masculins ; elle avait eu depuis l'âge de dix-sept ans plusieurs maris et de nombreux amants dont elle avait tiré beaucoup de joie ; ayant mené à bien une entreprise difficile au cours de laquelle elle avait commandé à des hommes, elle se plaignait d'être devenue frigide : il y avait une démission béate qui lui était devenue impossible parce qu'elle était habituée à dominer les mâles, parce que leur prestige s'était évanoui. Quand la femme commence à douter de leur supériorité, leurs prétentions ne font que diminuer l'estime qu'elle pourrait leur porter. Au lit, dans les moments où l'homme se veut le plus farouchement mâle, du fait même qu'il mime la virilité, il apparaît comme infantile à des yeux avertis : il ne fait que conjurer le vieux complexe de castration, l'ombre de son père ou quelque autre fantasme. Ce n'est pas toujours par orgueil que la maîtresse refuse de céder aux caprices de son amant : elle souhaite avoir affaire à un adulte qui vit un moment réel de sa vie, non à un petit garçon qui se raconte des histoires. La masochiste est singulièrement déçue : une complaisance maternelle, excédée ou indulgente, n'est pas l'abdication dont elle rêve. Ou elle devra se contenter elle aussi de jeux dérisoires, feignant de se croire dominée et asservie, ou elle courra après les hommes dits « supérieurs » dans l'espoir de se dénicher un maître, ou elle deviendra frigide.

On a vu[13] qu'il est possible d'échapper aux tentations du sadisme et du masochisme lorsque les deux partenaires se reconnaissent mutuellement comme des semblables ; dès qu'il y a chez l'homme et chez la femme un peu de modestie et quelque générosité, les idées de victoire et de défaite s'abolissent : l'acte d'amour devient un libre échange. Mais, paradoxalement, il est beaucoup plus difficile à la femme qu'à l'homme de reconnaître comme son semblable un individu de l'autre sexe. Précisément parce que la caste des mâles détient la supériorité, l'homme peut vouer une affectueuse estime à quantité de femmes singulières : une femme est facile à aimer, elle a d'abord le privilège d'introduire l'amant dans un monde différent du sien et qu'il se plaît à explorer à ses côtés ; elle intrigue, elle amuse, du moins pendant quelque temps ; et puis du fait que sa situation est limitée, subordonnée, toutes ses qualités apparaissent comme des conquêtes tandis que ses erreurs sont excusables. Stendhal[14] admire Mme de Rênal et Mme de Chasteller malgré leurs préjugés détestables ; qu'une femme ait des idées fausses, qu'elle soit peu intelligente, peu clairvoyante, peu courageuse, l'homme ne l'en tient pas pour responsable : elle est victime, pense-t-il — avec raison souvent — de sa situation ; il rêve à ce qu'elle aurait pu être, à ce qu'elle sera peut-être : on peut lui faire crédit, on peut lui prêter beaucoup puisqu'elle n'*est* rien de défini ; c'est à cause de cette absence que l'amant se lassera vite : mais d'elle provient le mystère, le charme qui le séduit et qui l'incline à une facile tendresse. Il est beaucoup moins aisé d'éprouver pour un homme de l'amitié : car il est ce qu'il s'est fait être, sans recours ; il faut l'aimer dans sa présence et sa vérité, non dans des promesses et des possibilités incertaines ; il est responsable de ses conduites, de ses idées ; il est sans excuse. Avec lui, il n'y a de fraternité que si on approuve ses actes, ses buts, ses opinions ; Julien peut aimer une légitimiste ; une Lamiel ne saurait chérir un homme dont elle méprise les idées. Même prête à des compromis, la femme aura peine à adopter une attitude indulgente. Car l'homme ne lui ouvre pas un vert paradis d'enfance, elle le rencontre dans ce monde qui est leur monde commun : il n'apporte que lui-même. Fermé sur soi, défini, décidé, il favorise peu les rêves ; quand il parle il faut l'écouter ; il se prend au sérieux : s'il n'intéresse pas il ennuie, sa présence pèse. Seuls les très jeunes gens se laissent parer de merveilleux facile, on peut chercher en eux mystère et promesse, leur trouver des excuses, les prendre à la légère : c'est une des raisons qui les rend aux yeux des femmes mûres si séduisants. Seulement la plupart du temps ils préfèrent quant à eux des femmes jeunes. La femme de trente ans est rejetée vers les mâles adultes. Et sans doute, parmi ceux-là elle en rencontrera qui ne décourageront pas son estime ni son amitié ; mais elle aura de la chance s'ils n'affichent alors aucune arrogance.

Le problème quand elle souhaite une histoire, une aventure, où elle puisse engager son cœur avec son corps, c'est de rencontrer un homme qu'elle puisse considérer comme un égal sans qu'il se regarde comme supérieur.

On me dira qu'en général les femmes ne font pas tant d'histoires ; elles saisissent l'occasion sans trop se poser de questions, et puis elles se débrouillent avec leur orgueil et leur sensualité. C'est vrai. Mais ce qui est vrai aussi, c'est qu'elles ensevelissent au secret de leurs cœurs quantité de déceptions, d'humiliations, de regrets, de rancunes dont on ne trouve pas — en moyenne — d'équivalents chez les hommes. D'une affaire plus ou moins manquée, l'homme tire à peu près à coup sûr le bénéfice du plaisir ; elle peut fort bien n'en recueillir aucun profit ; même indifférente, elle se prête avec politesse à l'étreinte quand le moment décisif est venu : il arrive que l'amant se découvre impuissant et elle souffrira de s'être compromise dans une dérisoire équipée ; si elle n'arrive pas à la volupté, c'est alors qu'elle se sent « eue », jouée ; si elle est comblée, elle souhaitera retenir durablement son amant. Elle est rarement tout à fait sincère quand elle prétend n'envisager qu'une aventure sans lendemain tout en escomptant le plaisir, car le plaisir, loin de la délivrer, l'attache ; une séparation, fût-elle soi-disant à l'amiable, la blesse. Il est beaucoup plus rare d'entendre une femme parler amicalement d'un ancien amant qu'un homme de ses maîtresses.

La nature de son érotisme, les difficultés d'une libre vie sexuelle incitent la femme à la monogamie. Cependant, liaison ou mariage se concilient beaucoup moins aisément pour elle que pour l'homme avec une carrière. Il arrive qu'amant ou mari lui demande d'y renoncer : elle hésite, telle la *Vagabonde* de Colette[15] qui souhaite ardemment à ses côtés une chaleur virile mais qui redoute les entraves conjugales ; qu'elle cède, la voilà de nouveau vassale ; qu'elle refuse, elle se condamne à une solitude desséchante. Aujourd'hui l'homme accepte généralement que sa compagne conserve son métier ; les romans de Colette Yver[16] qui nous montrent la jeune femme acculée à sacrifier sa profession pour maintenir la paix du foyer sont quelque peu périmés ; la vie en commun de deux êtres libres est pour chacun un enrichissement, et dans les occupations de son conjoint chacun trouve le gage de sa propre indépendance ; la femme qui se suffit affranchit son mari de l'esclavage conjugal qui était la rançon du sien. Si l'homme est d'une scrupuleuse bonne volonté, amants et époux arrivent dans une générosité sans exigence à une parfaite égalité*. C'est même l'homme parfois qui joue le rôle de serviteur dévoué ; ainsi, auprès de George Eliot[17], Lewis créait l'atmosphère propice que l'épouse crée d'ordinaire autour du mari-suzerain. Mais, la plupart du temps, c'est encore la femme qui fait les frais de l'harmonie du foyer. Il semble naturel à l'homme que ce soit elle qui tienne la maison, qui assure seule le soin et l'éducation des enfants. La femme même estime qu'en se mariant elle a assumé des charges dont sa vie personnelle ne la dispense pas ; elle ne veut pas que son mari soit privé des avantages qu'il aurait trouvés en s'associant une « vraie femme » : elle se veut élégante, bonne ménagère, mère dévouée comme le sont traditionnellement les épouses. C'est une tâche qui devient facilement accablante. Elle l'assume à la fois par égard pour son partenaire et par fidélité à soi : car elle tient, on l'a vu déjà[18], à ne rien manquer de son destin de femme. Elle sera pour le mari un double en même temps qu'elle est soi-même ; elle se chargera de ses soucis, elle participera à ses

* Il semble que la vie de Clara et Robert Schumann ait été pendant un temps une réussite de ce genre.

réussites autant qu'elle s'intéressera à son propre sort et parfois même davantage. Élevée dans le respect de la supériorité mâle, il se peut qu'elle estime encore que c'est à l'homme d'occuper la première place ; parfois aussi elle craint en la revendiquant de ruiner son ménage ; partagée entre le désir de s'affirmer et celui de s'effacer, elle est divisée, déchirée.

Il y a cependant un avantage que la femme peut tirer de son infériorité même : puisqu'elle a au départ moins de chances que l'homme, elle ne se sent pas a priori coupable à son égard ; ce n'est pas à elle de compenser l'injustice sociale, et elle n'en est pas sollicitée. Un homme de bonne volonté se doit de « ménager » les femmes puisqu'il est plus favorisé qu'elles ; il se laissera enchaîner par des scrupules, par de la pitié, il risque d'être la proie de femmes qui sont « collantes », « dévorantes » du fait qu'elles sont désarmées. La femme qui conquiert une indépendance virile a le grand privilège d'avoir affaire sexuellement à des individus eux-mêmes autonomes et actifs qui — généralement — ne joueront pas dans sa vie un rôle de parasite, qui ne l'enchaîneront pas par leur faiblesse et l'exigence de leurs besoins. Seulement rares sont en vérité les femmes qui savent créer avec leur partenaire un libre rapport ; elles se forgent elles-mêmes les chaînes dont il ne souhaite pas les charger : elles adoptent à son égard l'attitude de l'amoureuse. Pendant vingt ans d'attente, de rêve, d'espoir, la jeune fille a caressé le mythe du héros libérateur et sauveur : l'indépendance conquise dans le travail ne suffit pas à abolir son désir d'une abdication glorieuse. Il faudrait qu'elle eût été élevée exactement* comme un garçon pour pouvoir surmonter aisément le narcissisme de l'adolescence : mais

* C'est-à-dire non seulement selon les mêmes méthodes, mais dans le même climat, ce qui est aujourd'hui impossible malgré tous les efforts de l'éducateur.

elle perpétue dans sa vie d'adulte ce culte du moi auquel toute sa jeunesse l'a inclinée ; de ses réussites professionnelles, elle fait des mérites dont elle enrichit son image ; elle a besoin qu'un regard venu d'en haut révèle et consacre sa valeur. Même si elle est sévère pour les hommes dont elle prend quotidiennement la mesure, elle n'en révère pas moins l'Homme et, si elle le rencontre, elle est prête à tomber à ses genoux. Se faire justifier par un dieu, c'est plus facile que de se justifier par son propre effort ; le monde l'encourage à croire en la possibilité d'un salut *donné* : elle choisit d'y croire. Parfois, elle renonce entièrement à son autonomie, elle n'est plus qu'une amoureuse ; le plus souvent elle essaie une conciliation ; mais l'amour ido- lâtre, l'amour abdication est dévastateur : il occupe toutes les pensées, tous les instants, il est obsédant, ty- rannique. En cas de déboires professionnels, la femme cherche passionnément un refuge dans l'amour : ses échecs se traduisent par des scènes et des exigences dont l'amant fait les frais. Mais ses peines de cœur sont loin de redoubler son zèle professionnel : généra- lement, elle s'irrite au contraire contre le genre de vie qui lui interdit la voie royale du grand amour. Une femme, qui travaillait il y a dix ans dans une revue po- litique dirigée par des femmes, me disait que dans les bureaux on parlait rarement de politique et sans cesse d'amour : celle-ci se plaignait qu'on ne l'aimât que pour son corps, méconnaissant sa belle intelligence ; celle-là gémissait qu'on n'appréciât que son esprit sans jamais s'intéresser à ses appas charnels. Ici encore, pour que la femme pût être amoureuse à la manière d'un homme, c'est-à-dire sans mettre son *être* même en question, dans la liberté, il faudrait qu'elle se pensât son égale, qu'elle le fût concrètement : il faudrait qu'elle s'engageât avec la même décision dans ses entreprises, ce qui, on va le voir, n'est pas encore fréquent.

Il y a une fonction féminine qu'il est actuellement presque impossible d'assumer en toute liberté, c'est la maternité ; en Angleterre, en Amérique, la femme peut du moins la refuser à son gré grâce aux pratiques du « birth-control »[19] ; on a vu qu'en France elle est souvent acculée à des avortements pénibles et coûteux[20] ; souvent elle se trouve chargée d'un enfant dont elle ne voulait pas et qui ruine sa vie professionnelle. Si cette charge est lourde, c'est qu'inversement les mœurs n'autorisent pas la femme à procréer quand il lui plaît : la fille-mère scandalise et, pour l'enfant, une naissance illégitime est une tare ; il est rare qu'on puisse devenir mère sans accepter les chaînes du mariage ou sans déchoir. Si l'idée d'insémination artificielle intéresse tant les femmes ce n'est pas qu'elles souhaitent éviter l'étreinte mâle : c'est qu'elles espèrent que la maternité libre va enfin être admise par la société. Il faut ajouter que faute de crèches, de jardins d'enfants convenablement organisés, il suffit d'un enfant pour paralyser entièrement l'activité de la femme ; elle ne peut continuer à travailler qu'en l'abandonnant à des parents, des amis ou des servantes. Elle a à choisir entre la stérilité qui souvent est ressentie comme une douloureuse frustration et entre des charges difficilement compatibles avec l'exercice d'une carrière.

Ainsi la femme indépendante est aujourd'hui divisée entre ses intérêts professionnels et les soucis de sa vocation sexuelle ; elle a peine à trouver son équilibre ; si elle l'assure c'est au prix de concessions, de sacrifices, d'acrobaties qui exigent d'elle une perpétuelle tension. C'est là beaucoup plus que dans les données physiologiques qu'il faut chercher la raison de la nervosité, de la fragilité que souvent on observe en elle. Il est difficile de décider dans quelle mesure la constitution physique de la femme représente en soi un handicap. On s'est souvent interrogé entre autres sur l'obstacle créé par la menstruation. Les femmes qui se sont fait connaître par des travaux ou des actions semblaient lui attacher peu d'importance : est-ce parce que précisément elles devaient leur réussite à la bénignité de leurs troubles mensuels ? On peut se demander si ce n'est pas inversement le choix d'une vie active et ambitieuse qui leur a conféré ce privilège : car l'intérêt que la femme accorde à ses malaises les exaspère ; les sportives, les femmes d'action en souffrent moins que les autres parce qu'elles passent outre leurs souffrances. Assurément, celles-ci ont aussi des causes organiques et j'ai vu des femmes des plus énergiques passer chaque mois vingt-quatre heures au lit en proie à d'impitoyables tortures ; mais leurs entreprises n'en ont jamais été entravées. Je suis convaincue que la plus grande partie des malaises et maladies qui accablent les femmes ont des causes psychiques : c'est ce que m'ont dit d'ailleurs des gynécologues. C'est à cause de la tension morale dont j'ai parlé, à cause de toutes les tâches qu'elles assument, des contradictions au milieu desquelles elles se débattent que les femmes sont sans cesse harassées, à la limite de leurs forces ; ceci ne signifie pas que leurs maux soient imaginaires : ils sont réels et dévorants comme la situation qu'ils expriment. Mais la situation ne dépend pas du corps, c'est lui qui dépend d'elle. Ainsi, la santé de la femme ne nuira pas à son travail quand la travailleuse aura dans la société la place qu'il lui faut ; au contraire, le travail aidera puissamment à son équilibre physique en lui interdisant de s'en préoccuper sans cesse.

Quand on juge les accomplissements professionnels de la femme et qu'à partir de là on prétend anticiper sur son avenir, il ne faut pas perdre de vue cet ensemble de faits. C'est au sein d'une situation tourmentée,

c'est asservie encore aux charges impliquées traditionnellement par la féminité qu'elle s'engage dans une
carrière. Les circonstances objectives ne lui sont pas
non plus favorables. Il est toujours dur d'être un nouveau venu qui essaie de se frayer un chemin à travers
une société hostile ou du moins méfiante. Richard Wright a montré dans *Black Boy*[21] combien les ambitions
d'un jeune Noir d'Amérique sont barrées dès le départ
et quelle lutte il a à soutenir simplement pour s'élever
au niveau où les problèmes commencent à se poser aux
Blancs ; les Noirs qui sont venus d'Afrique en France
connaissent aussi — en eux-mêmes comme au-dehors
— des difficultés analogues à celles que rencontrent
les femmes.

C'est d'abord dans la période d'apprentissage que la
femme se trouve en état d'infériorité : je l'ai indiqué
déjà à propos de la jeune fille, mais il faut y revenir
avec plus de précision. Pendant ses études, pendant les
premières années, si décisives, de sa carrière, il est
rare que la femme coure franchement ses chances :
beaucoup seront handicapées ensuite par un mauvais
départ. En effet, c'est entre dix-huit et trente ans que
les conflits dont j'ai parlé atteindront leur maximum
d'intensité : et c'est le moment où l'avenir professionnel se joue. Que la femme vive dans sa famille ou soit
mariée, son entourage respectera rarement son effort
comme on respecte celui d'un homme ; on lui imposera
des services, des corvées, on brimera sa liberté ; elle-
même est encore profondément marquée par son éducation, respectueuse des valeurs qu'affirment ses aînées,
hantée par ses rêves d'enfant et d'adolescente ; elle
concilie mal l'héritage de son passé avec l'intérêt de
son avenir. Parfois elle refuse sa féminité, elle hésite
entre la chasteté, l'homosexualité ou une attitude pro-
vocante de virago, elle s'habille mal ou se travestit :
elle perd beaucoup de temps et de forces en défis, en

comédies, en colères. Plus souvent elle veut au contraire l'affirmer : elle est coquette, elle sort, elle flirte, elle est amoureuse, oscillant entre le masochisme et l'agressivité. De toute façon elle s'interroge, s'agite, se disperse. Du seul fait qu'elle est en proie à des préoccupations étrangères, elle ne s'engage pas tout entière dans son entreprise ; aussi en retire-t-elle moins de profit, elle est plus tentée de l'abandonner. Ce qui est extrêmement démoralisant pour la femme qui cherche à se suffire, c'est l'existence d'autres femmes appartenant aux mêmes catégories sociales, ayant au départ la même situation, les mêmes chances qu'elle, et qui vivent en parasites ; l'homme peut éprouver du ressentiment à l'égard des privilégiés : mais il est solidaire de sa classe ; dans l'ensemble, ceux qui partent à égalité de chances arrivent à peu près au même niveau de vie ; tandis que par la médiation de l'homme, des femmes de même condition ont des fortunes très diverses ; l'amie mariée ou confortablement entretenue est une tentation pour celle qui doit assurer seule sa réussite ; il lui semble qu'elle se condamne arbitrairement à emprunter les chemins les plus difficiles : à chaque écueil elle se demande s'il ne vaudrait pas mieux choisir une autre voie. « Quand je pense qu'il faut que je tire tout de mon cerveau ! » me disait avec scandale une petite étudiante sans fortune. L'homme obéit à une impérieuse nécessité : sans cesse la femme doit renouveler à neuf sa décision ; elle avance, non en fixant droit devant elle un but, mais en laissant son regard errer tout autour d'elle ; aussi sa démarche est-elle timide et incertaine. D'autant plus qu'il lui semble — comme je l'ai déjà dit — que plus elle va de l'avant, plus elle renonce à ses autres chances ; en se faisant bas-bleu, femme de tête, elle déplaira aux hommes en général ; ou elle humiliera son mari, son amant, par une réussite trop éclatante. Non seulement elle s'applique d'autant plus à se montrer élégante, frivole, mais elle freine son élan. L'espoir d'être un jour délivrée du souci d'elle-même, la crainte de devoir, en assumant ce souci, renoncer à cet espoir, se liguent pour l'empêcher de se livrer sans réticence à ses études, à sa carrière.

En tant que la femme se veut femme, sa condition indépendante crée en elle un complexe d'infériorité ; inversement, sa féminité lui fait douter de ses chances professionnelles. C'est là un point des plus importants. On a vu que des fillettes de quatorze ans déclaraient au cours d'une enquête : « Les garçons sont mieux ; ils travaillent plus facilement. » La jeune fille est convaincue que ses capacités sont limitées. Du fait que parents et professeurs admettent que le niveau des filles est inférieur à celui des garçons, les élèves l'admettent aussi volontiers ; et effectivement, malgré l'identité des programmes, leur culture est dans les lycées beaucoup moins poussée. À part quelques exceptions, l'ensemble d'une classe féminine de philosophie par exemple est nettement en dessous d'une classe de garçons : un très grand nombre des élèves n'entendent pas poursuivre leurs études, elles travaillent très superficiellement et les autres souffrent d'un manque d'émulation. Tant qu'il s'agit d'examens assez faciles, leur insuffisance ne se fera pas trop sentir ; mais quand on abordera des concours sérieux, l'étudiante prendra conscience de ses manques ; elle les attribuera non à la médiocrité de sa formation, mais à l'injuste malédiction attachée à sa féminité ; se résignant à cette inégalité, elle l'aggrave ; elle se persuade que ses chances de réussite ne sauraient résider que dans sa patience, son application ; elle décide d'économiser avarement ses forces : c'est là un détestable calcul. Surtout dans les études et les professions qui demandent un peu d'invention, d'originalité, quelques menues trouvailles, l'attitude utilitaire est néfaste ; des conversations, des lectures en marge des programmes, une promenade pendant laquelle l'esprit vogue librement peuvent être bien plus profitables à la traduction même d'un texte grec que la compilation morne d'épaisses syntaxes. Écrasée par le respect des autorités et le poids de l'érudition, le regard arrêté par des œillères, l'étudiante trop consciencieuse tue en elle le sens critique et l'intelligence même. Son acharnement méthodique engendre tension et ennui : dans les classes où des lycéennes préparent le concours de Sèvres[22] il règne une atmosphère étouffante qui décourage toutes les individualités un peu vivantes. Se créant à elle-même un bagne, la candidate ne souhaite que s'en évader ; dès qu'elle ferme les livres, elle pense à de tout autres sujets. Elle ne connaît pas ces moments féconds où étude et divertissements se confondent, où les aventures de l'esprit prennent une chaleur vivante. Accablée par l'ingratitude de ses tâches, elle se sent de plus en plus inapte à les mener à bien. Je me rappelle une étudiante d'agrégation qui disait, au temps où il y avait en philosophie un concours commun aux hommes et aux femmes : « Les garçons peuvent réussir en un ou deux ans ; nous, il nous faut au moins quatre ans. » Une autre à qui on indiquait la lecture d'un ouvrage sur Kant, auteur du programme : « C'est un livre trop difficile : c'est un livre pour normaliens ! » Elle semblait s'imaginer que les femmes pouvaient passer le concours au rabais ; c'était, partant battue d'avance, abandonner effectivement aux hommes toutes les chances de succès.

Par suite de ce défaitisme, la femme s'accommode facilement d'une médiocre réussite ; elle n'ose pas viser haut. Abordant son métier avec une formation superficielle, elle met très vite des bornes à ses ambitions. Souvent le fait de gagner sa vie elle-même lui semble un assez grand mérite ; elle aurait pu comme tant d'autres confier son sort à un homme ; pour continuer à vouloir son indépendance, elle a besoin d'un effort dont elle est fière mais qui l'épuise. Il lui semble avoir assez fait dès qu'elle choisit de faire quelque chose. « Pour une femme, ce n'est déjà pas si mal », pense-t-elle. Une femme exerçant une profession insolite disait : « Si j'étais homme, je me sentirais obligé d'arriver au premier rang ; mais je suis la seule femme de France qui occupe un pareil poste : c'est assez pour moi. » Il y a de la prudence dans cette modestie. La femme a peur en tentant d'arriver plus loin de se casser les reins. Il faut dire qu'elle est gênée, à juste titre, par l'idée qu'on ne lui fait pas confiance. D'une manière générale, la caste supérieure est hostile aux parvenus de la caste inférieure : des Blancs n'iront pas consulter un médecin noir, ni les mâles une doctoresse ; mais les individus de la caste inférieure, pénétrés du sentiment de leur infériorité spécifique, et souvent pleins de rancune à l'égard de celui qui a vaincu le destin, préféreront aussi se tourner vers les maîtres ; en particulier la plupart des femmes, confites dans l'adoration de l'homme, le recherchent avidement dans le médecin, l'avocat, le chef de bureau, etc. Ni hommes ni femmes n'aiment se trouver sous les ordres d'une femme. Ses supérieurs, même s'ils l'estiment, auront toujours pour elle un peu de condescendance ; être femme, c'est sinon une tare, du moins une singularité. La femme doit sans cesse conquérir une confiance qui ne lui est pas d'abord accordée : au départ, elle est suspecte, il faut qu'elle fasse ses preuves. Si elle a de la valeur, elle les fera, affirme-t-on. Mais la valeur n'est pas une essence donnée : c'est l'aboutissement d'un heureux développement. Sentir peser sur soi un préjugé défavorable n'aide que fort rarement à le vaincre. Le complexe d'infériorité initial amène, comme c'est ordinairement le cas, une réaction de défense qui est une affectation exagérée d'autorité. La plupart des femmes médecins par exemple en ont ou trop ou trop peu. Si elles demeurent naturelles, elles n'intimident pas car l'ensemble de leur vie les dispose plutôt à séduire qu'à commander ; le malade qui aime à être dominé sera déçu par des conseils donnés avec simplicité ; consciente du fait, la doctoresse prend une voix grave, un ton tranchant ; mais alors elle n'a pas la ronde bonhomie qui séduit chez le médecin sûr de lui. L'homme a l'habitude de s'imposer ; ses clients croient en sa compétence ; il peut se laisser aller : il impressionne à coup sûr. La femme n'inspire pas le même sentiment de sécurité ; elle se guinde, elle en remet, elle en fait trop. En affaires, dans les administrations, elle se montre scrupuleuse, tatillonne et facilement agressive. Comme dans ses études, elle manque de désinvolture, d'envolée, d'audace. Pour arriver elle se crispe. Son action est une suite de défis et d'affirmations abstraites d'elle-même. C'est là le plus grand défaut qu'engendre le manque d'assurance : le sujet ne peut pas s'oublier. Il ne vise pas généreusement un but : il cherche à donner ces preuves de valeur qu'on lui réclame. À se jeter hardiment vers des fins, on risque des déboires : mais on atteint aussi des résultats inespérés ; la prudence condamne à la médiocrité. On rencontre rarement chez la femme un goût de l'aventure, de l'expérience gratuite, une curiosité désintéressée ; elle cherche à « faire une carrière » comme d'autres se bâtissent un bonheur ; elle demeure dominée, investie par l'univers mâle, elle n'a pas l'audace d'en crever le plafond, elle ne se perd pas avec passion dans ses projets ; elle considère encore sa vie comme une entreprise immanente : elle vise non un objet, mais à travers l'objet sa réussite subjective. C'est une attitude très frappante entre autres chez les Américaines ; il leur plaît d'avoir un « job » et de se prouver qu'elles sont capables de l'exécuter correctement : mais elles ne se passionnent pas pour le *contenu* de leurs tâches. Du même coup la femme a tendance à attacher trop de prix à de menus échecs, de modestes succès ; tour à tour elle se décourage ou elle se gonfle de vanité ; quand la réussite était attendue, on l'accueille avec simplicité : mais elle devient un triomphe enivrant si l'on doutait de l'obtenir ; c'est là l'excuse des femmes qui s'affolent d'importance et qui se parent avec ostentation de leurs moindres accomplissements. Elles regardent sans cesse derrière elles pour mesurer le chemin parcouru : cela coupe leur élan. Par ce moyen elles pourront réaliser des carrières honorables mais non de grandes actions. Il faut ajouter que beaucoup d'hommes ne savent aussi se construire que des destinées médiocres. C'est seulement par rapport aux meilleurs d'entre eux que la femme — sauf à de très rares exceptions — nous apparaît comme étant encore à la remorque. Les raisons que j'ai données l'expliquent assez et n'hypothèquent en rien l'avenir. Pour faire de grandes choses, ce qui manque essentiellement à la femme d'aujourd'hui, c'est l'oubli de soi : mais pour s'oublier il faut d'abord être solidement assuré qu'on s'est d'ores et déjà trouvé. Nouvelle venue au monde des hommes, piètrement soutenue par eux, la femme est encore trop occupée à se chercher.

Il y a une catégorie de femmes à qui ces remarques ne s'appliquent pas du fait que leur carrière loin de nuire à l'affirmation de leur féminité la renforce ; ce sont celles qui cherchent à dépasser par l'expression artistique le donné même qu'elles constituent : actrices, danseuses, chanteuses. Pendant trois siècles elles ont été presque les seules à détenir au sein de la société une indépendance concrète et elles y occupent encore à présent une place privilégiée. Naguère les comédiennes étaient maudites par l'Église : l'excès même de cette sévérité les a toujours autorisées à une grande liberté de mœurs ; elles côtoient souvent la galanterie et comme les courtisanes elles passent une grande part de leurs journées dans la compagnie des hommes : mais gagnant elles-mêmes leur vie, trouvant dans leur travail le sens de leur existence, elles échappent à leur joug. Le grand avantage dont elles jouissent, c'est que leurs succès professionnels contribuent — comme dans le cas des mâles — à leur valorisation sexuelle ; en se réalisant comme êtres humains, elles s'accomplissent comme femmes : elles ne sont pas déchirées entre des aspirations contradictoires ; au contraire elles trouvent dans leur métier une justification de leur narcissisme : toilette, soins de beauté, charme font partie de leurs devoirs professionnels ; c'est une grande satisfaction pour une femme éprise de son image que de *faire* quelque chose simplement en exhibant ce qu'elle *est* ; et cette exhibition demande en même temps assez d'artifice et d'étude, pour apparaître, selon le mot de Georgette Leblanc[23], comme un succédané d'action. Une grande actrice visera plus haut encore : elle dépassera le donné par la manière dont elle l'exprime, elle sera vraiment une artiste, un créateur qui donne un sens à sa vie en en prêtant un au monde.

Mais ces rares privilèges cachent aussi des pièges : au lieu d'intégrer à sa vie artistique ses complaisances narcissistes, et la liberté sexuelle qui lui est accordée, l'actrice bien souvent sombre dans le culte de soi ou dans la galanterie ; j'ai parlé déjà de ces pseudo-« artistes » qui cherchent seulement dans le cinéma ou le théâtre à se « faire un nom » représentant un capital à exploiter entre des bras masculins ; les commodités d'un appui viril sont bien tentantes comparées aux risques d'une carrière et à la sévérité qu'implique tout véritable travail. Le désir d'une destinée féminine — un mari, un foyer, des enfants — et l'envoûtement de l'amour ne se concilient pas toujours aisément avec la volonté d'arriver. Mais surtout l'admiration qu'elle éprouve pour son moi limite en beaucoup de cas le talent de l'actrice ; elle s'illusionne sur le prix de sa simple présence au point qu'un sérieux travail lui paraît inutile ; elle tient avant tout à mettre en lumière sa figure, et sacrifie à ce cabotinage le personnage qu'elle interprète ; elle n'a pas, elle non plus, la générosité de s'oublier, ce qui lui ôte la possibilité de se dépasser : rares sont les Rachel[24], les Duse[25], qui surmontent cet écueil et qui font de leur personne l'instrument de leur art au lieu de voir dans l'art un serviteur de leur moi. Dans sa vie privée cependant la cabotine exagérera tous les défauts narcissistes : elle se montrera vaniteuse, susceptible, comédienne, elle considérera le monde entier comme une scène.

Aujourd'hui, les arts d'expression ne sont pas les seuls qui se proposent aux femmes ; beaucoup d'entre elles s'essaient à des activités créatrices. La situation de la femme la dispose à chercher un salut dans la littérature et dans l'art. Vivant en marge du monde masculin, elle ne le saisit pas sous sa figure universelle, mais à travers une vision singulière ; il est pour elle non un ensemble d'ustensiles et de concepts, mais une source de sensations et d'émotions ; elle s'intéresse aux qualités des choses en ce qu'elles ont de gratuit et de secret ; adoptant une attitude de négation, de refus, elle ne s'engloutit pas dans le réel : elle proteste contre lui, avec des mots ; elle cherche à travers la nature l'image de son âme, elle s'abandonne à des rêveries, elle veut atteindre son *être* : elle est vouée à l'échec ; elle ne peut le récupérer que dans la région de l'imaginaire. Pour ne pas laisser sombrer dans le néant une vie intérieure qui ne *sert* à rien, pour s'affirmer contre le donné qu'elle subit dans la révolte, pour créer un monde autre que celui où elle ne réussit pas à s'atteindre, elle a besoin de *s'exprimer*. Aussi est-il connu qu'elle est bavarde et écrivassière ; elle s'épanche en conversations, en lettres, en journaux intimes[26]. Il suffit qu'elle ait un peu d'ambition, la voilà rédigeant ses mémoires, transposant sa biographie en roman, exhalant ses sentiments dans des poèmes. Elle jouit de vastes loisirs qui favorisent ces activités.

Mais les circonstances mêmes qui orientent la femme vers la création constituent aussi des obstacles qu'elle sera bien souvent incapable de surmonter. Quand elle se décide à peindre ou à écrire à seule fin de remplir le vide de ses journées, tableaux et essais seront traités comme des « ouvrages de dames », elle ne leur consacrera ni plus de temps ni plus de soin et ils auront à peu près la même valeur. C'est souvent au moment de la ménopause que la femme pour compenser les failles de son existence se jette sur le pinceau ou sur la plume : il est bien tard ; faute d'une formation sérieuse, elle ne sera jamais qu'un amateur. Même si elle commence assez jeune, il est rare qu'elle envisage l'art comme un sérieux travail ; habituée à l'oisiveté, n'ayant jamais éprouvé dans sa vie l'austère nécessité d'une discipline, elle ne sera pas capable d'un effort soutenu et persévérant, elle ne s'astreindra pas à acquérir une solide technique ; elle répugne aux tâtonnements ingrats, solitaires, du travail qu'on ne montre pas, qu'il faut cent fois détruire et reprendre ; et comme dès son enfance en lui enseignant à plaire on lui a appris à tricher, elle espère se tirer d'affaire par quelques ruses. C'est ce qu'avoue Marie Bashkirtseff[27] : « Oui, je ne me donne pas la peine de peindre. Je me suis observée aujourd'hui… *Je triche*… » Volontiers la femme *joue* à travailler, mais elle ne travaille pas ; croyant aux vertus magiques de la passivité, elle confond conjurations et actes, gestes symboliques et conduites efficaces ; elle se déguise en élève des Beaux-

Arts, elle s'arme de son arsenal de pinceaux ; campée devant son chevalet, son regard erre de la toile blanche à son miroir ; mais le bouquet de fleurs, le compotier de pommes, ne vient pas s'inscrire de lui-même sur le canevas. Assise devant son secrétaire, ruminant de vagues histoires, la femme s'assure un paisible alibi en s'imaginant qu'elle est un écrivain : mais il faut en venir à tracer des signes sur la feuille blanche, il faut qu'ils aient un sens aux yeux d'autrui. Alors la tricherie se découvre. Pour plaire il suffit de créer des mirages : mais une œuvre d'art n'est pas un mirage, c'est un objet solide ; pour le construire il faut connaître son métier. Ce n'est pas seulement grâce à ses dons ou à son tempérament que Colette est devenue un grand écrivain ; sa plume a été souvent son gagne-pain et elle en a exigé le travail soigné qu'un bon artisan exige de son outil ; de *Claudine* à *La Naissance du jour*, l'amateur est devenue professionnelle : le chemin parcouru démontre avec éclat les bienfaits d'un apprentissage sévère. La plupart des femmes cependant ne comprennent pas les problèmes que pose leur désir de communication : et c'est là ce qui explique en grande partie leur paresse. Elles se sont toujours considérées comme données ; elles croient que leurs mérites viennent d'une grâce qui les habite et n'imaginent pas que la valeur puisse se conquérir ; pour séduire, elles ne savent que se manifester : leur charme agit ou n'agit pas, elles n'ont aucune prise sur sa réussite ou son échec ; elles supposent que d'une manière analogue il suffit pour s'exprimer de montrer ce qu'on est ; au lieu d'élaborer leur œuvre par un travail réfléchi, elles font confiance à leur spontanéité ; écrire ou sourire, pour elles c'est tout un : elles tentent leur chance, le succès viendra ou ne viendra pas. Sûres d'elles-mêmes, elles escomptent que le livre ou le tableau se trouvera réussi sans effort ; timides, la moindre critique les décourage ; elles ignorent que l'erreur peut ouvrir le chemin du progrès, elles la tiennent pour une catastrophe irréparable, au même titre qu'une malformation. C'est pourquoi elles se montrent souvent d'une susceptibilité qui leur est néfaste : elles ne reconnaissent leurs fautes que dans l'irritation et le découragement au lieu d'en tirer des leçons fécondes. Malheureusement la spontanéité n'est pas une conduite aussi simple qu'elle le paraît : le paradoxe du lieu commun — comme l'explique Paulhan dans *Les Fleurs de Tarbes*[28] — c'est qu'il se confond souvent avec l'immédiate traduction de l'impression subjective ; si bien qu'au moment où la femme, livrant sans tenir compte d'autrui l'image qui se forme en elle, se croit le plus singulière, elle ne fait que réinventer un banal cliché ; si on le lui dit, elle s'étonne, se dépite et jette sa plume ; elle ne se rend pas compte que le public lit avec ses yeux, sa pensée à lui et qu'une épithète toute fraîche peut éveiller dans sa mémoire maints souvenirs usagés ; certes, c'est un don précieux que de savoir pêcher en soi pour les ramener à la surface du langage des impressions toutes vives ; on admire en Colette une spontanéité qui ne se rencontre chez aucun écrivain masculin : mais — bien que ces deux termes semblent jurer ensemble — il s'agit chez elle d'une spontanéité réfléchie : elle refuse certains de ses apports pour n'en accepter d'autres qu'à bon escient ; l'amateur, au lieu de saisir les mots comme un rapport inter-individuel, un appel à l'autre, y voit la révélation directe de sa sensibilité ; il lui semble que choisir, raturer, c'est répudier une partie de soi ; elle ne veut rien en sacrifier à la fois parce qu'elle se complaît dans ce qu'elle *est* et qu'elle n'espère pas devenir autre. Sa vanité stérile vient de ce qu'elle se chérit sans oser se construire.

C'est ainsi que, sur la légion de femmes qui s'essaient à taquiner les lettres et les arts, il en est bien peu qui persévèrent ; celles mêmes qui franchissent ce premier obstacle demeureront bien souvent partagées entre leur narcissisme et un complexe d'infériorité. Ne pas savoir s'oublier, c'est un défaut qui pèsera sur elles plus lourdement que dans aucune autre carrière ; si leur but essentiel est une abstraite affirmation de soi la satisfaction formelle de la réussite, elles ne s'abandonneront pas à la contemplation du monde : elles seront incapables de le créer à neuf. Marie Bashkirtseff a décidé de peindre parce qu'elle voulait devenir célèbre ; l'obsession de la gloire s'interpose entre elle et la réalité ; en vérité elle n'aime pas peindre : l'art n'est qu'un moyen ; ce ne sont pas ses rêves ambitieux et creux qui lui dévoileront le sens d'une couleur ou d'un visage. Au lieu de se donner généreusement à l'œuvre qu'elle entreprend, la femme trop souvent la considère comme un simple ornement de sa vie ; le livre et le tableau ne sont qu'un intermédiaire inessentiel lui permettant d'exhiber publiquement cette essentielle réalité : sa propre personne. Aussi est-ce sa personne qui est le principal — parfois l'unique — sujet qui l'intéresse : Mme Vigée-Lebrun[29] ne se lasse pas de fixer sur ses toiles sa souriante maternité. Même si elle parle de thèmes généraux, la femme écrivain parlera encore d'elle : on ne peut lire telles chroniques théâtrales sans être renseignés sur la taille et la corpulence de leur auteur, sur la couleur de ses cheveux et les particularités de son caractère. Certes, le moi n'est pas toujours haïssable. Peu de livres sont plus passionnants que certaines confessions : mais il faut qu'elles soient sincères et que l'auteur ait quelque chose à confesser. Le narcissisme de la femme[30] au lieu de l'enrichir l'appauvrit ; à force de ne faire rien d'autre que se contempler, elle s'anéantit ; l'amour même qu'elle se porte se stéréotype : elle ne découvre pas dans ses écrits son authentique expérience, mais une idole imaginaire bâtie avec des clichés. On ne saurait lui reprocher de se projeter dans ses romans comme l'ont fait Benjamin Constant, Stendhal : mais le malheur, c'est que trop souvent elle voit son histoire comme une niaise féerie ; la jeune fille se masque à grand renfort de merveilleux la réalité dont la crudité l'effraie : il est dommage qu'une fois adulte elle noie encore le monde, ses personnages et elle-même dans de poétiques brouillards. Quand sous ce travesti la vérité se fait jour, on obtient parfois des réussites charmantes ; mais aussi, à côté de *Poussière* ou de *La Nymphe au cœur fidèle*[31], combien de fades et languissants romans d'évasion !

Il est naturel que la femme essaie de s'échapper de ce monde où souvent elle se sent méconnue et incomprise ; ce qui est regrettable, c'est qu'elle n'ose pas alors les audacieuses envolées d'un Gérard de Nerval, d'un Poe. Bien des raisons excusent sa timidité. Plaire est son plus grand souci ; et souvent elle a déjà peur, du seul fait qu'elle écrit, de déplaire en tant que femme : le mot de bas-bleu, bien qu'un peu éculé, éveille encore de désagréables résonances ; elle n'a pas le courage de déplaire encore en tant qu'écrivain. L'écrivain original, tant qu'il n'est pas mort, est toujours scandaleux ; la nouveauté inquiète et indispose ; la femme est encore étonnée et flattée d'être admise dans le monde de la pensée, de l'art, qui est un monde masculin : elle s'y tient bien sage ; elle n'ose pas déranger, explorer, exploser ; il lui semble qu'elle doit se faire pardonner ses prétentions littéraires par sa modestie, son bon goût ; elle mise sur les valeurs sûres du conformisme ; elle introduit dans la littérature tout juste cette note personnelle qu'on attend d'elle : elle rappelle qu'elle est femme par quelques grâces, minauderies et préciosités bien choisies ; ainsi excellera-t-elle à rédiger des « best-sellers » ; mais il ne faut pas compter sur elle pour s'aventurer sur des chemins inédits. Ce n'est pas que les femmes dans leurs conduites, leurs sentiments, manquent d'originalité : il en est de si singulières qu'il faut les enfermer ; dans l'ensemble, beaucoup d'entre elles sont plus baroques, plus excentriques que les hommes dont elles refusent les disciplines. Mais c'est dans leur vie, leur conversation, leur correspondance qu'elles font passer leur bizarre génie ; si elles essaient d'écrire, elles se sentent écrasées par l'univers de la culture parce que c'est un univers d'hommes : elles ne font que balbutier. Inversement, la femme qui choisit de raisonner, de s'exprimer selon les techniques masculines aura à cœur d'étouffer une singularité dont elle se défie ; comme l'étudiante, elle sera facilement appliquée et pédante ; elle imitera la rigueur, la vigueur virile. Elle pourra devenir une excellente théoricienne, acquérir un solide talent ; mais elle se sera imposé de répudier tout ce qu'il y avait en elle de « différent ». Il y a des femmes qui sont folles et il y a des femmes de talent : aucune n'a cette folie dans le talent qu'on appelle le génie.

C'est avant tout cette modestie raisonnable qui a défini jusqu'ici les limites du talent féminin. Beaucoup de femmes ont déjoué — elles déjouent de plus en plus — les pièges du narcissisme et du faux merveilleux ; mais aucune n'a jamais foulé aux pieds toute prudence pour tenter d'*émerger* par-delà le monde donné. D'abord, il y en a bien entendu un grand nombre qui acceptent la société même telle qu'elle est ; elles sont par excellence les chantres de la bourgeoisie puisqu'elles représentent dans cette classe menacée l'élément le plus conservateur ; avec des adjectifs choisis, elles évoquent les raffinements d'une civilisation dite de la « qualité » ; elles exaltent l'idéal bourgeois du bonheur et déguisent sous les couleurs de la poésie les intérêts de leur classe ; elles orchestrent la mystification destinée à persuader les femmes de « rester femmes » ;

84

vieilles maisons, parcs et potagers, aïeules pittoresques, enfants mutins, lessive, confitures, fêtes de famille, toilettes, salons, bals, épouses douloureuses mais exemplaires, beauté du dévouement et du sacrifice, menues peines et grandes joies de l'amour conjugal, rêves de jeunesse, mûre résignation, les romancières d'Angleterre, de France, d'Amérique, du Canada et de Scandinavie ont exploité ces thèmes jusqu'à la lie ; elles y ont gagné de la gloire et de l'argent mais n'ont certes pas enrichi notre vision du monde. Beaucoup plus intéressantes sont les insurgées qui ont mis en accusation cette société injuste ; une littérature de revendication peut engendrer des œuvres fortes et sincères ; George Eliot a puisé dans sa révolte une vision à la fois minutieuse et dramatique de l'Angleterre victorienne ; cependant, comme Virginia Woolf le fait remarquer[32], Jane Austen, les sœurs Brontë, George Eliot ont dû dépenser négativement tant d'énergie pour se libérer des contraintes extérieures qu'elles arrivent un peu essoufflées à ce stade d'où les écrivains masculins de grande envergure prennent le départ ; il ne leur reste plus assez de force pour profiter de leur victoire et rompre toutes leurs amarres : par exemple, on ne trouve pas chez elles l'ironie, la désinvolture d'un Stendhal ni sa tranquille sincérité. Elles n'ont pas eu non plus la richesse d'expérience d'un Dostoïevski, d'un Tolstoï : c'est pourquoi le beau livre qu'est *Middlemarch* n'égale pas *Guerre et Paix* ; les *Hauts de Hurlevent*[33] malgré leur grandeur n'ont pas la portée des *Frères Karamazov*. Aujourd'hui, les femmes ont déjà moins de peine à s'affirmer ; mais elles n'ont pas encore tout à fait surmonté la spécification millénaire qui les cantonne dans leur féminité. La lucidité, par exemple, est une conquête dont elles sont fières à juste titre mais dont elles se satisfont un peu trop vite. Le fait est que la femme traditionnelle est une conscience mystifiée et un instrument de mystification ; elle essaie de se dissimuler sa dépendance, ce qui est une manière d'y consentir ; dénoncer cette dépendance, c'est déjà une libération ; contre les humiliations, contre la honte, le cynisme est une défense : c'est l'ébauche d'une assomption. En se voulant lucides, les écrivains féminins rendent le plus grand service à la cause de la femme ; mais — sans généralement s'en rendre compte — elles demeurent trop attachées à servir cette cause pour adopter devant l'univers cette attitude désintéressée qui ouvre les plus vastes horizons. Quand elles ont écarté les voiles d'illusion et de mensonges, elles croient avoir assez fait : cependant, cette audace négative nous laisse encore devant une énigme ; car la vérité même est ambiguïté, abîme, mystère : après avoir indiqué sa présence, il faudrait la penser, la recréer. C'est fort bien de n'être pas dupe : mais c'est à partir de là que tout commence ; la femme épuise son courage à dissiper des mirages et elle s'arrête effrayée au seuil de la réalité. C'est pourquoi il y a par exemple des autobiographies féminines qui sont sincères et attachantes : mais aucune ne peut se comparer aux *Confessions*, aux *Souvenirs d'égotisme*[34]. Nous sommes encore trop préoccupées d'y voir clair pour chercher à percer par-delà cette clarté d'autres ténèbres.

« Les femmes ne dépassent jamais le prétexte », me disait un écrivain. C'est assez vrai. Encore tout émerveillées d'avoir reçu la permission d'explorer ce monde, elles en font l'inventaire sans chercher à en découvrir le sens. Là où parfois elles excellent c'est dans l'observation de ce qui est donné : elles font de remarquables reporters ; aucun journaliste masculin n'a surclassé les témoignages d'Andrée Viollis[35] sur l'Indochine et sur les Indes. Elles savent décrire des atmosphères, des personnages, indiquer entre ceux-ci des rapports subtils, nous faire participer aux mouvements secrets de leurs âmes : Willa Cather[36], Edith Wharton[37], Dorothy Parker, Katherine Mansfield[38] ont évoqué de manière aiguë et nuancée des individus, des climats et des civilisations. Il est rare qu'elles réussissent à créer des héros masculins aussi convaincants que Heathcliff[39] : dans l'homme, elles ne saisissent guère que le mâle ; mais elles ont souvent décrit avec bonheur leur vie intérieure, leur expérience, leur univers ; attachées à la substance secrète des objets, fascinées par la singularité de leurs propres sensations, elles livrent leur expérience toute chaude à travers des adjectifs savoureux, des images charnelles : leur vocabulaire est d'ordinaire plus remarquable que leur syntaxe parce qu'elles s'intéressent aux choses plutôt qu'à leurs rapports ; elles ne visent pas une élégance abstraite mais en revanche leurs mots parlent aux sens. Un des domaines qu'elles ont exploré avec le plus d'amour, c'est la Nature ; pour la jeune fille, pour la femme qui n'a pas tout à fait abdiqué, la nature représente ce que la femme elle-même représente pour l'homme : soi-même et sa négation, un royaume et un lieu d'exil ; elle est tout sous la figure de l'autre. C'est en parlant des landes ou des potagers que la romancière nous révélera le plus intimement son expérience et ses rêves. Il en est beaucoup qui enferment les miracles de la sève et des saisons dans des pots, des vases, des plates-bandes ; d'autres sans emprisonner les plantes et les bêtes essaient cependant de se les approprier par l'amour attentif qu'elles leur portent : ainsi Colette ou Katherine Mansfield ; très rares sont celles qui abordent la nature dans sa liberté inhumaine, qui tentent d'en déchiffrer les significations étrangères et qui se perdent afin de s'unir à cette présence autre : ces chemins qu'inventa Rousseau, il n'y a guère qu'Emily Brontë, Virginia Woolf et parfois Mary Webb[40] qui s'y aventurent. À plus forte raison peut-on compter sur les doigts d'une main les femmes qui ont traversé le donné, à la recherche de sa dimension secrète : Emily Brontë a interrogé la mort, V. Woolf la vie, et K. Mansfield parfois — pas très souvent — la contingence quotidienne et la souffrance. Aucune femme n'a écrit *Le Procès*, *Moby Dick*, *Ulysse* ou *Les Sept Piliers de la Sagesse*[41]. Elles ne contestent pas la condition humaine parce qu'elles commencent à peine à pouvoir intégralement l'assumer. C'est ce qui explique que leurs œuvres manquent généralement de résonances métaphysiques et aussi d'humour noir ; elles ne mettent pas le monde entre parenthèses, elles ne lui posent pas de questions, elles n'en dénoncent pas les contradictions : elles le prennent au sérieux. Le fait est d'ailleurs que la majorité des hommes connaît les mêmes limitations ; c'est quand on la compare avec les quelques rares artistes qui méritent d'être appelés « grands » que la femme apparaît comme médiocre. Ce n'est pas un destin qui la limite : on peut facilement comprendre pourquoi il ne lui a pas été donné — pourquoi il ne lui sera peut-être pas donné avant assez longtemps — d'atteindre les plus hauts sommets.

L'art, la littérature, la philosophie sont des tentatives pour fonder à neuf le monde sur une liberté humaine : celle du créateur ; il faut d'abord se poser sans équivoque comme une liberté pour nourrir pareille prétention. Les restrictions que l'éducation et la coutume imposent à la femme limitent sa prise sur l'univers ; quand le combat pour prendre place dans ce monde est trop rude, il ne peut être question de s'en arracher ; or, il faut d'abord en émerger dans une souveraine solitude si l'on veut tenter de s'en ressaisir : ce qui manque d'abord à la femme c'est de faire dans l'angoisse et l'orgueil l'apprentissage de son délaissement et de sa transcendance.

Ce que j'envie, écrit Marie Bashkirtseff, c'est la liberté de se promener toute seule, d'aller et de venir, de s'asseoir sur les bancs du jardin des Tuileries. Voilà la liberté sans laquelle on ne peut pas devenir un vrai artiste. Vous croyez qu'on profite de ce qu'on voit quand on est accompagné ou quand, pour aller au Louvre, il faut attendre sa voiture, sa demoiselle de compagnie, sa famille !... Voilà la liberté qui manque et sans laquelle on ne peut arriver sérieusement à être quelque chose. La pensée est enchaînée par suite de cette gêne stupide et incessante... Cela suffit pour que les ailes tombent. *C'est une des grandes raisons pour lesquelles il n'y a pas d'artistes femmes.*

En effet, pour devenir un créateur il ne suffit pas de se cultiver, c'est-à-dire d'intégrer à sa vie des spectacles, des connaissances ; il faut que la culture soit appréhendée à travers le libre mouvement d'une transcendance ; il faut que l'esprit avec toutes ses richesses se jette vers un ciel vide qu'il lui appartient de peupler ; mais si mille liens ténus le rattachent à la terre, son élan est brisé. Sans doute aujourd'hui la jeune fille sort seule et peut flâner aux Tuileries ; mais j'ai dit déjà combien la rue lui est hostile : partout des yeux, des mains qui guettent ; qu'elle vagabonde à l'étourdie, les pensées au vent, qu'elle allume une cigarette à la terrasse d'un café, qu'elle aille seule au cinéma, un incident désagréable a vite fait de se produire ; il faut qu'elle inspire du respect par sa toilette, sa tenue : ce souci la rive au sol et à soi-même. « Les ailes tombent. » À dix-huit ans, T. E. Lawrence[42] accomplit seul une vaste randonnée à bicyclette à travers la France ; on ne permettra pas à la jeune fille de se lancer dans une pareille équipée : encore moins lui serait-il possible comme Lawrence le fit un an plus tard de s'aventurer à pied dans un pays à demi désert et dangereux. Cependant de telles expériences ont une incalculable portée : c'est alors que l'individu dans l'ivresse de la liberté et de la découverte apprend à regarder la terre entière comme son fief. Déjà, la femme est naturellement privée des leçons de la violence : j'ai dit combien sa faiblesse physique l'incline à la passivité ; quand un garçon règle un combat à coups de poing, alors il sent qu'il peut se reposer sur soi du souci de lui-même ; du moins faudrait-il qu'en compensation l'initiative du sport, de l'aventure, la fierté de l'obstacle vaincu fussent permises à la jeune fille. Mais non. Elle peut se sentir solitaire *au sein* du monde : jamais elle ne se dresse *en face* de lui, unique et souveraine. Tout l'incite à se laisser investir, dominer par des existences étrangères : et singulièrement dans l'amour, elle se renie au lieu de s'affirmer. En ce sens malheur ou disgrâce sont souvent des épreuves fécondes : c'est son isolement qui a permis à Emily Brontë d'écrire un livre puissant et échevelé ; en face de la nature, de la mort, du destin, elle n'attendait de secours que d'elle-même. Rosa Luxemburg[43] était laide ; elle n'a jamais été tentée de s'engloutir dans le culte de son image, de se faire objet, proie et piège : dès sa jeunesse, elle a été tout entière esprit et liberté. Même alors, il est très rare que la femme assume pleinement l'angoissant tête-à-tête avec le monde donné. Les contraintes dont elle est entourée et toute la tradition qui pèsent sur elle empêchent qu'elle ne se sente responsable de l'univers : voilà la profonde raison de sa médiocrité.

Les hommes que nous appelons grands sont ceux qui — d'une façon ou de l'autre — ont chargé leurs épaules du poids du monde : ils s'en sont plus ou moins bien tirés, ils ont réussi à le recréer ou ils ont sombré ; mais d'abord ils ont assumé cet énorme fardeau. C'est là ce qu'aucune femme n'a jamais fait, ce qu'aucune n'a jamais *pu* faire. Pour regarder l'univers comme sien, pour s'estimer coupable de ses fautes et se glorifier de ses progrès, il faut appartenir à la caste des privilégiés ; à ceux-là seuls qui en détiennent les commandes il appartient de le justifier en le modifiant, en le pensant, en le dévoilant ; seuls ils peuvent se reconnaître en lui et tenter d'y imprimer leur marque. C'est dans l'homme, non dans la femme, qu'a pu jusqu'ici s'incarner l'Homme. Or, les individus qui nous paraissent exemplaires, ceux qu'on décore du nom de génies, ce sont ceux qui ont prétendu jouer dans leur existence singulière le sort de l'humanité tout entière. Aucune femme ne s'y est crue autorisée. Comment Van Gogh aurait-il pu naître femme ? Une femme n'aurait pas été envoyée en mission dans le Borinage, elle n'aurait pas senti la misère des hommes comme son propre crime, elle n'aurait pas cherché une rédemption ; elle n'aurait donc jamais peint les tournesols de Van Gogh. Sans compter que le genre de vie du peintre — la solitude d'Arles, la fréquentation des cafés, des bordels, tout ce qui alimentait l'art de Van Gogh en alimentant sa sensibilité — lui eût été interdit. Une femme n'aurait jamais pu devenir Kafka : dans ses doutes et ses inquiétudes, elle n'eût pas reconnu l'angoisse de l'Homme chassé du paradis. Il n'y a guère que sainte Thérèse qui ait vécu pour son compte, dans un total délaissement, la condition humaine : on a vu pourquoi[44]. Se situant par-delà les hiérarchies terrestres, elle ne sentait pas plus que saint Jean de la Croix un plafond rassurant au-dessus de sa tête. C'était pour tous deux la même nuit, les mêmes éclats de lumière, en soi le même néant, en Dieu la même plénitude. Quand enfin il sera possible à tout être humain de placer son orgueil par-delà la différenciation sexuelle, dans la difficile gloire de sa libre existence, alors seulement la femme pourra confondre son histoire, ses pro-

91

blèmes, ses doutes, ses espoirs, avec ceux de l'humanité ;
alors seulement elle pourra chercher dans sa vie et
ses œuvres à dévoiler la réalité tout entière et non
seulement sa personne. Tant qu'elle a encore à lutter
pour devenir un être humain, elle ne saurait être une
créatrice.

Encore une fois, pour expliquer ses limites c'est
donc sa situation qu'il faut invoquer et non une mystérieuse essence : l'avenir demeure largement ouvert. On
a soutenu à l'envi que les femmes ne possédaient pas de
« génie créateur » ; c'est la thèse que défend entre autres
Mme Marthe Borély[45], antiféministe naguère notoire :
mais on dirait qu'elle a cherché à faire de ses livres
la preuve vivante de l'illogisme et de la niaiserie féminines, aussi se contestent-ils eux-mêmes. D'ailleurs,
l'idée d'un « instinct » créateur donné doit être rejetée
comme celle d'« éternel féminin » dans le vieux pla-
card aux entités. Certains misogynes, un peu plus concrètement, affirment que la femme étant une névrosée
ne saurait rien créer de valable : mais ce sont souvent
les mêmes gens qui déclarent que le génie est une né-
vrose. En tout cas, l'exemple de Proust montre assez
que le déséquilibre psychophysiologique ne signifie ni
impuissance, ni médiocrité. Quant à l'argument qu'on
tire de l'examen de l'histoire, on vient de voir ce qu'il
faut en penser ; le fait historique ne saurait être considéré comme définissant une vérité éternelle ; il ne fait
que traduire une situation qui précisément se manifeste
comme historique puisqu'elle est en train de changer.
Comment les femmes auraient-elles jamais eu du génie
alors que toute possibilité d'accomplir une œuvre gé-
niale — ou même une œuvre tout court — leur était
refusée ? La vieille Europe a naguère accablé de son
mépris les Américains barbares qui ne possédaient ni
artistes ni écrivains : « Laissez-nous exister avant de
nous demander de justifier notre existence », répondit

en substance Jefferson[46]. Les Noirs font les mêmes réponses aux racistes qui leur reprochent de n'avoir produit ni un Whitman ni un Melville. Le prolétariat français ne peut non plus opposer aucun nom à ceux de Racine ou de Mallarmé. La femme libre est seulement en train de naître ; quand elle se sera conquise, peut-être justifiera-t-elle la prophétie de Rimbaud : « Les poètes seront ! Quand sera brisé l'infini servage de la femme, quand elle vivra pour elle et par elle, l'homme — jusqu'ici abominable — lui ayant donné son renvoi, elle sera poète, elle aussi ! La femme trouvera l'inconnu ! Ses mondes d'idées différeront-ils des nôtres ? Elle trouvera des choses étranges, insondables, repoussantes, délicieuses ; nous les prendrons, nous les comprendrons*. » Il n'est pas sûr que ses « mondes d'idées » soient différents de ceux des hommes puisque c'est en s'assimilant à eux qu'elle s'affranchira ; pour savoir dans quelle mesure elle demeurera singulière, dans quelle mesure ces singularités garderont de l'importance, il faudrait se hasarder à des anticipations bien hardies. Ce qui est certain, c'est que jusqu'ici les possibilités de la femme ont été étouffées et perdues pour l'humanité et qu'il est grand temps dans son intérêt et dans celui de tous qu'on lui laisse enfin courir toutes ses chances.

* Lettre à Pierre Demeny, 15 mai 1871[47].

Conclusion

« Non, la femme n'est pas notre frère ; par la paresse
et la corruption, nous en avons fait un être à part, inconnu, n'ayant d'autre arme que son sexe, ce qui est
non seulement la guerre perpétuelle, mais encore une
arme pas de bonne guerre — adorant ou haïssant,
mais pas compagnon franc, un être qui forme légion
avec esprit de corps, franc-maçonnerie — des défian-
ces d'éternel petit esclave. »

Beaucoup d'hommes souscriraient encore à ces
mots de Jules Laforgue[1] ; beaucoup pensent qu'entre les
deux sexes il y aura toujours « brigue et riotte » et que
jamais la fraternité ne leur sera possible. Le fait est que
ni les hommes ni les femmes ne sont aujourd'hui satis-
faits les uns des autres. Mais la question est de savoir
si c'est une malédiction originelle qui les condamne à
s'entre-déchirer ou si les conflits qui les opposent n'expriment qu'un moment transitoire de l'histoire humaine.

On a vu qu'en dépit des légendes aucun destin physiologique n'impose au Mâle et à la Femelle comme
tels une éternelle hostilité ; même la fameuse mante
religieuse ne dévore son mâle que faute d'autres ali-
ments et dans l'intérêt de l'espèce : c'est à celle-ci que
du haut en bas de l'échelle animale tous les individus

sont subordonnés. D'ailleurs, l'humanité est autre chose qu'une espèce : un devenir historique ; elle se définit par la manière dont elle assume la facticité naturelle. En vérité, fût-ce avec la plus mauvaise foi du monde, il est impossible de déceler entre le mâle et la femelle humaine une rivalité d'ordre proprement physiologique. Aussi bien situera-t-on plutôt leur hostilité sur ce terrain intermédiaire entre la biologie et la psychologie qui est celui de la psychanalyse. La femme, dit-on, envie à l'homme son pénis et désire le châtrer, mais le désir infantile du pénis ne prend d'importance dans la vie de la femme adulte que si elle éprouve sa féminité comme une mutilation ; et c'est alors en tant qu'il incarne tous les privilèges de la virilité qu'elle souhaite s'approprier l'organe mâle. On admet volontiers que son rêve de castration a une signification symbolique : elle veut, pense-t-on, priver le mâle de sa transcendance. Son vœu est, nous l'avons vu, beaucoup plus ambigu : elle veut, d'une manière contradictoire, *avoir* cette transcendance, ce qui suppose qu'à la fois elle la respecte et la nie, qu'à la fois elle entend se jeter en elle et la retenir en soi. C'est dire que le drame ne se déroule pas sur un plan sexuel ; la sexualité d'ailleurs ne nous est jamais apparue comme définissant un destin, comme fournissant en soi la clé des conduites humaines, mais comme exprimant la totalité d'une situation qu'elle contribue à définir. La lutte des sexes n'est pas immédiatement impliquée dans l'anatomie de l'homme et de la femme. En vérité, quand on l'évoque, on prend pour accordé qu'au ciel intemporel des Idées se déroule une bataille entre ces essences incertaines : l'Éternel féminin, l'Éternel masculin ; et on ne remarque pas que ce titanesque combat revêt sur terre deux formes tout à fait différentes, correspondant à des moments historiques différents.

La femme qui est confinée dans l'immanence essaie de retenir aussi l'homme dans cette prison ; ainsi celle-ci se confondra avec le monde et elle ne souffrira plus d'y être enfermée : la mère, l'épouse, l'amante sont des geôlières ; la société codifiée par les hommes décrète que la femme est inférieure : elle ne peut abolir cette infériorité qu'en détruisant la supériorité virile. Elle s'attache à mutiler, à dominer l'homme, elle le contredit, elle nie sa vérité et ses valeurs. Mais elle ne fait par là que se défendre ; ce n'est ni une immuable essence ni un coupable choix qui l'ont vouée à l'immanence, à l'infériorité. Elles lui sont imposées. Toute oppression crée un état de guerre. Ce cas-ci ne fait pas exception. L'existant que l'on considère comme inessentiel ne peut manquer de prétendre rétablir sa souveraineté.

Aujourd'hui, le combat prend une autre figure ; au lieu de vouloir enfermer l'homme dans un cachot, la femme essaie de s'en évader ; elle ne cherche plus à l'entraîner dans les régions de l'immanence mais à émerger dans la lumière de la transcendance. C'est alors l'attitude des mâles qui crée un nouveau conflit : c'est avec mauvaise grâce que l'homme « donne son renvoi » à la femme. Il lui plaît de demeurer le sujet souverain, le supérieur absolu, l'être essentiel ; il refuse de tenir concrètement sa compagne pour une égale ; elle répond à sa défiance par une attitude agressive. Il ne s'agit plus d'une guerre entre des individus enfermés chacun dans sa sphère : une caste revendicatrice monte à l'assaut et elle est tenue en échec par la caste privilégiée. Ce sont deux transcendances qui s'affrontent ; au lieu de mutuellement se reconnaître, chaque liberté veut dominer l'autre.

Cette différence d'attitude se marque sur le plan sexuel comme sur le plan spirituel ; la femme « féminine » essaie en se faisant une proie passive de réduire aussi le mâle à sa passivité charnelle ; elle s'emploie à le prendre au piège, à l'enchaîner par le désir qu'elle suscite en se faisant docilement chose ; au contraire la femme « émancipée » se veut active, préhensive et refuse la passivité que l'homme prétend lui imposer. De même, Élise et ses émules dénient aux activités viriles leur valeur ; elles placent la chair au-dessus de l'esprit, la contingence au-dessus de la liberté, leur sagesse routinière au-dessus de l'audace créatrice. Mais la femme « moderne » accepte les valeurs masculines : elle se pique de penser, agir, travailler, créer au même titre que les mâles ; au lieu de chercher à les ravaler, elle affirme qu'elle s'égale à eux.

Dans la mesure où elle s'exprime dans des conduites concrètes, cette revendication est légitime ; et c'est l'insolence des hommes qui est alors blâmable. Mais il faut dire à leur excuse que les femmes brouillent volontiers les cartes. Une Mabel Dodge[2] prétendait asservir Lawrence par les charmes de sa féminité afin de le dominer ensuite spirituellement ; beaucoup de femmes, pour démontrer par leurs réussites qu'elles valent un homme, s'efforcent de s'assurer sexuellement un appui masculin ; elles jouent sur deux tableaux, réclamant à la fois d'antiques égards et une estime neuve, misant sur leur vieille magie et sur leurs jeunes droits ; on comprend que l'homme irrité se mette sur la défensive mais il est lui aussi duplice quand il réclame que la femme joue loyalement le jeu alors que, par sa méfiance, par son hostilité, il lui refuse d'indispensables atouts. En vérité, la lutte ne saurait revêtir entre eux une claire figure puisque l'être même de la femme est opacité ; elle ne se dresse pas en face de l'homme comme un sujet mais comme un objet paradoxalement doué de subjectivité ; elle s'assume à la fois comme *soi* et comme *autre*, ce qui est une contradiction entraînant de déconcertantes conséquences. Quand elle se fait une arme à la fois de sa faiblesse et de sa force, il ne s'agit pas d'un calcul concerté : spontanément, elle cherche son salut dans la voie qui lui a été imposée, celle de la passivité, en même temps qu'elle revendique activement sa souveraineté ; et sans doute ce procédé n'est-il « pas de bonne guerre » mais il lui est dicté par la situation ambiguë qu'on lui a assignée. L'homme cependant quand il la traite comme une liberté s'indigne qu'elle demeure pour lui un piège ; s'il la flatte et la comble en tant qu'elle est sa proie, il s'agace de ses prétentions à l'autonomie ; quoi qu'il fasse, il se sent joué et elle s'estime lésée.

La dispute durera tant que les hommes et les femmes ne se reconnaîtront pas comme des semblables, c'est-à-dire tant que se perpétuera la féminité en tant que telle ; des uns et des autres qui est le plus acharné à la maintenir ? la femme qui s'en affranchit veut néanmoins en conserver les prérogatives ; et l'homme réclame qu'alors elle en assume les limitations. « Il est plus facile d'accuser un sexe que d'excuser l'autre », dit Montaigne. Distribuer des blâmes et des *satisfecit* est vain. En vérité, si le cercle vicieux est ici si difficile à briser, c'est que les deux sexes sont chacun victimes à la fois de l'autre et de soi ; entre deux adversaires s'affrontant dans leur pure liberté, un accord pourrait aisément s'établir : d'autant que cette guerre ne profite à personne ; mais la complexité de toute cette affaire provient de ce que chaque camp est complice de son ennemi ; la femme poursuit un rêve de démission, l'homme un rêve d'aliénation ; l'inauthenticité ne paie pas : chacun s'en prend à l'autre du malheur qu'il s'est attiré en cédant aux tentations de la facilité ; ce que l'homme et la femme haïssent l'un chez l'autre, c'est l'échec éclatant de sa propre mauvaise foi et de sa propre lâcheté.

On a vu pourquoi originellement les hommes ont asservi les femmes[3] ; la dévaluation de la féminité a été une étape nécessaire de l'évolution humaine ; mais elle aurait pu engendrer une collaboration des deux sexes ; l'oppression s'explique par la tendance de l'existant à se fuir en s'aliénant dans l'autre qu'il opprime à cette fin ; aujourd'hui, en chaque homme singulier cette tendance se retrouve : et l'immense majorité y cède ; le mari se recherche en son épouse, l'amant dans sa maîtresse, sous la figure d'une statue de pierre ; il poursuit en elle le mythe de sa virilité, de sa souveraineté, de son immédiate réalité. « Mon mari ne va jamais au cinéma », dit la femme, et l'incertaine opinion masculine s'imprime dans le marbre de l'éternité. Mais il est lui-même esclave de son double : quel travail pour édifier une image dans laquelle il est toujours en danger ! Elle est malgré tout fondée sur la capricieuse liberté des femmes : il faut sans cesse se rendre celle-ci propice ; l'homme est rongé par le souci de se montrer mâle, important, supérieur ; il joue des comédies afin qu'on lui en joue ; il est lui aussi agressif, inquiet ; il a de l'hostilité pour les femmes parce qu'il a peur d'elles, et il a peur d'elles parce qu'il a peur du personnage avec lequel il se confond. Que de temps et de forces il gaspille à liquider, sublimer, transposer des complexes, à parler des femmes, à les séduire, à les craindre ! On le libérerait en les libérant. Mais c'est précisément ce qu'il redoute. Et il s'entête dans les mystifications destinées à maintenir la femme dans ses chaînes.

Qu'elle soit mystifiée, bien des hommes en ont conscience. « Quel malheur que d'être femme ! et pourtant le malheur quand on est femme est au fond de ne pas comprendre que c'en est un », dit Kierkegaard[*4]. Il y a

* *In vino veritas*. Il dit aussi : « La galanterie revient — essentiellement — à la femme et le fait qu'elle l'accepte sans hésiter s'explique par la sollicitude de la nature pour le plus faible, pour l'être défavorisé et pour qui une illusion signifie plus qu'une compensation. Mais cette illusion lui est précisément fatale... Se sentir affranchi de la misère grâce à une imagination, être la dupe

longtemps qu'on s'est attaché à déguiser ce malheur. On a supprimé, par exemple, la tutelle : on a donné à la femme des « protecteurs » et s'ils sont revêtus des droits des antiques tuteurs, c'est dans son propre intérêt. Lui interdire de travailler, la maintenir au foyer, c'est la défendre contre elle-même, c'est assurer son bonheur. On a vu sous quels voiles poétiques on dissimulait les charges monotones qui lui incombent : ménage, maternité ; en échange de sa liberté on lui a fait cadeau des fallacieux trésors de sa « féminité ». Balzac a fort bien décrit cette manœuvre quand il a conseillé à l'homme de la traiter en esclave tout en la persuadant qu'elle est reine. Moins cyniques, beaucoup d'hommes s'efforcent de se convaincre eux-mêmes qu'elle est vraiment une privilégiée. Il y a des sociologues américains qui enseignent aujourd'hui avec sérieux la théorie des « low-class gain », c'est-à-dire des « bénéfices des castes inférieures ». En France, aussi, on a souvent proclamé — quoique de manière moins scientifique — que les ouvriers avaient bien de la chance de n'être pas obligés de « représenter », et davantage encore les clochards qui peuvent se vêtir de haillons et se coucher sur les trottoirs, plaisirs interdits au comte de Beaumont et à ces pauvres messieurs de Wendel[5]. Tels les pouilleux insouciants qui grattent allégrement leur vermine, tels les joyeux nègres riant sous les coups de chicote et ces gais Arabes du Souss qui enterrent leurs enfants morts de faim avec le sourire aux lèvres, la femme jouit de cet incomparable privilège : l'irresponsabilité. Sans peine, sans charge, sans souci, elle a manifestement « la meilleure part ». Ce qui est troublant c'est que par une

---

d'une imagination, n'est-ce pas une moquerie encore plus profonde ?... La femme est très loin d'être *verwahrlos* (abandonnée) mais dans un autre sens elle l'est puisqu'elle ne peut jamais s'affranchir de l'illusion dont la nature s'est servie pour la consoler. »

perversité entêtée — liée sans doute au péché originel — à travers siècles et pays les gens qui ont la meilleure part crient toujours à leurs bienfaiteurs : C'est trop ! Je me contenterai de la vôtre ! Mais les capitalistes magnifiques, les généreux colons, les mâles superbes s'entêtent : Gardez la meilleure part, gardez-la !

Le fait est que les hommes rencontrent chez leur compagne plus de complicité que l'oppresseur n'en trouve habituellement chez l'opprimé ; et ils s'en autorisent avec mauvaise foi pour déclarer qu'elle a *voulu* la destinée qu'ils lui ont imposée. On a vu qu'en vérité toute son éducation conspire à lui barrer les chemins de la révolte et de l'aventure ; la société entière — à commencer par ses parents respectés — lui ment en exaltant la haute valeur de l'amour, du dévouement, du don de soi et en lui dissimulant que ni l'amant, ni le mari, ni les enfants ne seront disposés à en supporter la charge encombrante. Elle accepte allégrement ces mensonges parce qu'ils l'invitent à suivre la pente de la facilité : et c'est là le pire crime que l'on commet contre elle ; dès son enfance et tout au long de sa vie on la gâte, on la corrompt en lui désignant comme sa vocation cette démission qui tente tout existant angoissé de sa liberté ; si on invite un enfant à la paresse en l'amusant tout le jour sans lui donner l'occasion d'étudier, sans lui en montrer l'utilité, on ne dira pas quand il atteint l'âge d'homme qu'il a choisi d'être incapable et ignorant : c'est ainsi qu'on élève la femme, sans jamais lui enseigner la nécessité d'assumer elle-même son existence ; elle se laisse volontiers aller à compter sur la protection, l'amour, le secours, la direction d'autrui ; elle se laisse fasciner par l'espoir de pouvoir sans rien *faire* réaliser son être. Elle a tort de céder à la tentation ; mais l'homme est mal venu de le lui reprocher puisque c'est lui-même qui l'a tentée. Quand un conflit éclatera entre eux, chacun tiendra l'autre pour responsable de la situation ; elle lui reprochera de l'avoir créée : On ne m'a pas appris à raisonner, à gagner ma vie... Il lui reprochera de l'avoir acceptée : Tu ne sais rien, tu es une incapable... Chaque sexe croit se justifier en prenant l'offensive : mais les torts de l'un n'innocentent pas l'autre.

Les innombrables conflits qui mettent aux prises les hommes et les femmes viennent de ce qu'aucun des deux n'assume toutes les conséquences de cette situation que l'un propose et que l'autre subit : cette notion incertaine d'« égalité dans l'inégalité », dont l'un se sert pour masquer son despotisme et l'autre sa lâcheté, ne résiste pas à l'expérience : dans leurs échanges, la femme se réclame de l'égalité abstraite qu'on lui a garantie, et l'homme de l'inégalité concrète qu'il constate. De là vient que dans toutes les liaisons se perpétue un débat indéfini sur l'équivoque des mots *donner* et *prendre* : elle se plaint de tout donner, il proteste qu'elle lui prend tout. Il faut que la femme comprenne que les échanges — c'est une loi fondamentale de l'économie politique — se règlent selon la valeur que la marchandise offerte revêt pour l'acheteur, et non pour le vendeur : on l'a trompée en la persuadant qu'elle possédait un prix infini ; en vérité elle est pour l'homme seulement une distraction, un plaisir, une compagnie, un bien inessentiel ; il est le sens, la justification de son existence à elle ; l'échange ne se fait donc pas entre deux objets de même qualité ; cette inégalité va se marquer singulièrement dans le fait que le temps qu'ils passent ensemble — et qui paraît fallacieusement le même temps — n'a pas pour les deux partenaires la même valeur ; pendant la soirée que l'amant passe avec sa maîtresse il pourrait faire un travail utile à sa carrière, voir des amis, cultiver des relations, se distraire ; pour un homme normalement intégré à la société, le temps est une richesse positive : argent, réputation, plaisir. Au contraire, pour la femme oisive, qui s'ennuie, c'est une charge dont elle n'aspire qu'à se débarrasser ; dès qu'elle réussit à tuer des heures, elle fait un bénéfice : la présence de l'homme est un pur profit ; en de nombreux cas, ce qui intéresse le plus clairement l'homme dans une liaison, c'est le gain sexuel qu'il en tire : à la limite, il peut se contenter de passer tout juste avec sa maîtresse le temps nécessaire à perpétrer l'acte amoureux ; mais — sauf exception — ce qu'elle souhaite quant à elle c'est d'« écouler » tout cet excès de temps dont elle ne sait que faire : et — comme le marchand qui ne vend des pommes de terre que si on lui « prend » des navets — elle ne cède son corps que si l'amant « prend » par-dessus le marché des heures de conversation et de sortie. L'équilibre réussit à s'établir si le coût de l'ensemble ne paraît pas à l'homme trop élevé : cela dépend bien entendu de l'intensité de son désir et de l'importance qu'ont à ses yeux les occupations qu'il sacrifie ; mais si la femme réclame — offre — trop de temps, elle devient tout entière importune, comme la rivière qui sort de son lit, et l'homme choisira de n'en rien avoir plutôt que d'en avoir trop. Elle modère donc ses exigences ; mais très souvent la balance s'établit au prix d'une double tension : elle estime que l'homme l'« a » au rabais ; il pense qu'il paie trop cher. Bien entendu, cet exposé est quelque peu humoristique ; cependant — sauf dans les cas de passion jalouse et exclusive où l'homme veut la femme dans sa totalité — dans la tendresse, le désir, l'amour même, est indiqué ce conflit ; l'homme a toujours « autre chose à faire » de son temps ; tandis qu'elle cherche à se débarrasser du sien ; et il ne considère pas les heures qu'elle lui consacre comme un don, mais comme une charge. Généralement, il consent à la supporter parce qu'il sait bien qu'il est du côté des favorisés, il a « mauvaise conscience » ; et s'il a quelque bonne volonté il essaie de compenser l'inégalité des conditions par de la générosité ; cependant, il se fait un mérite d'être pitoyable et au premier heurt il traite la femme d'ingrate, il s'irrite : Je suis trop bon. Elle sent qu'elle se conduit en quémandeuse alors qu'elle est convaincue de la haute valeur de ses cadeaux, et elle en est humiliée. C'est là ce qui explique la cruauté dont souvent la femme se montre capable ; elle a « bonne conscience », parce qu'elle est du mauvais côté ; elle ne s'estime obligée à aucun ménagement à l'égard de la caste privilégiée, elle songe seulement à se défendre ; elle sera même fort heureuse si elle a l'occasion de manifester sa rancune à l'amant qui n'a pas su la combler : puisqu'il ne donne pas assez, c'est avec un plaisir sauvage qu'elle lui reprendra tout. Alors l'homme blessé découvre le prix global de la liaison dont il dédaignait chaque moment : il est prêt à toutes les promesses, quitte à s'estimer à nouveau exploité quand il devra les tenir ; il accuse sa maîtresse de le faire chanter : elle lui reproche son avarice ; tous deux se trouvent lésés. Ici encore, il est vain de distribuer excuses et blâmes : on ne peut jamais créer de justice au sein de l'injustice. Un administrateur colonial n'a aucune possibilité de bien se conduire envers les indigènes, ni un général envers ses soldats ; la seule solution c'est de n'être ni colon ni chef ; mais un homme ne saurait s'empêcher d'être un homme. Le voilà donc coupable malgré lui et opprimé par cette faute qu'il n'a pas lui-même commise ; ainsi est-elle victime et mégère en dépit d'elle-même ; parfois il se révolte, il choisit la cruauté, mais alors il se fait complice de l'injustice, et la faute devient vraiment sienne ; parfois il se laisse annihiler, dévorer, par sa revendicatrice victime : mais alors il se sent dupé ; souvent il s'arrête à un compromis qui à la fois le diminue et le laisse mal à son aise. Un homme de bonne volonté sera plus déchiré par la situation que la femme elle-même : en un sens on a toujours meilleur compte à être du côté des vaincus ; mais si elle est de bonne volonté elle aussi, incapable de se suffire à soi-même, répugnant à écraser l'homme du poids de sa destinée, elle se débat dans une inextricable confusion. On rencontre à foison dans la vie quotidienne de ces cas qui ne comportent pas de solution satisfaisante parce qu'ils sont définis par des conditions qui ne sont pas satisfaisantes : un homme qui se voit obligé de continuer à faire vivre matériellement et moralement une femme qu'il n'aime plus se sent victime ; mais s'il abandonnait sans ressources celle qui a engagé toute sa vie sur lui, elle serait victime d'une manière aussi injuste. Le mal ne vient pas d'une perversité individuelle — et la mauvaise foi commence, lorsque chacun s'en prend à l'autre —, il vient d'une situation contre laquelle toute conduite singulière est impuissante. Les femmes sont « collantes », elles pèsent, et elles en souffrent ; c'est qu'elles ont le sort d'un parasite qui pompe la vie d'un organisme étranger ; qu'on les doue d'un organisme autonome, qu'elles puissent lutter contre le monde et lui arracher leur subsistance, et leur dépendance sera abolie : celle de l'homme aussi. Les uns et les autres sans nul doute s'en porteront beaucoup mieux.

Un monde où les hommes et les femmes seraient égaux est facile à imaginer car c'est exactement celui qu'avait *promis* la révolution soviétique : les femmes élevées et formées exactement comme les hommes travailleraient dans les mêmes conditions[*] et pour les

* Que certains métiers trop durs leur soient interdits ne contredit pas ce projet : parmi les hommes mêmes on cherche de plus en plus à réaliser une adaptation professionnelle ; leurs capacités physiques et intellectuelles limitent leurs possibilités de choix ; ce qu'on demande en tout cas c'est qu'aucune frontière de sexe ou de caste ne soit tracée.

mêmes salaires ; la liberté érotique serait admise par les mœurs, mais l'acte sexuel ne serait plus considéré comme un « service » qui se rémunère ; la femme serait *obligée* de s'assurer un autre gagne-pain ; le mariage reposerait sur un libre engagement que les époux pourraient dénoncer dès qu'ils voudraient ; la maternité serait libre, c'est-à-dire qu'on autoriserait le *birth-control* et l'avortement et qu'en revanche on donnerait à toutes les mères et à leurs enfants exactement les mêmes droits, qu'elles soient mariées ou non ; les congés de grossesse seraient payés par la collectivité qui assumerait la charge des enfants, ce qui ne veut pas dire qu'on *retirerait* ceux-ci à leurs parents mais qu'on ne les leur *abandonnerait* pas.

Mais suffit-il de changer les lois, les institutions, les mœurs, l'opinion et tout le contexte social pour que femmes et hommes deviennent vraiment des semblables ? « Les femmes seront toujours des femmes », disent les sceptiques ; et d'autres voyants prophétisent qu'en dépouillant leur féminité elles ne réussiront pas à se changer en hommes et qu'elles deviendront des monstres. C'est admettre que la femme d'aujourd'hui est une création de la nature ; il faut encore une fois répéter que dans la collectivité humaine rien n'est naturel et qu'entre autres la femme est un produit élaboré par la civilisation ; l'intervention d'autrui dans sa destinée est originelle : si cette action était autrement dirigée, elle aboutirait à un tout autre résultat. La femme n'est définie ni par ses hormones ni par de mystérieux instincts mais par la manière dont elle ressaisit, à travers les consciences étrangères, son corps et son rapport au monde ; l'abîme qui sépare l'adolescente de l'adolescent a été creusé de manière concertée dès les premiers temps de leur enfance ; plus tard, on ne saurait empêcher que la femme ne soit ce qu'elle *a été faite* et elle traînera toujours ce passé derrière elle ; si on en mesure le poids, on comprend avec évidence que son destin n'est pas fixé dans l'éternité. Certainement, il ne faut pas croire qu'il suffise de modifier sa condition économique pour que la femme soit transformée : ce facteur a été et demeure le facteur primordial de son évolution ; mais tant qu'il n'a pas entraîné les conséquences morales, sociales, culturelles, etc., qu'il annonce et qu'il exige, la femme nouvelle ne saurait apparaître ; à l'heure qu'il est elles ne se sont réalisées nulle part, pas plus en U.R.S.S. qu'en France ou aux U.S.A. ; et c'est pourquoi la femme d'aujourd'hui est écartelée entre le passé et l'avenir ; elle apparaît le plus souvent comme une « vraie femme » déguisée en homme, et elle se sent mal à l'aise aussi bien dans sa chair de femme que dans son habit masculin. Il faut qu'elle fasse peau neuve et qu'elle se taille ses propres vêtements. Elle ne saurait y parvenir que grâce à une évolution collective. Aucun éducateur isolé ne peut aujourd'hui façonner un « être humain femelle », qui soit l'exact homologue de « l'être humain mâle » : élevée en garçon, la jeune fille se sent exceptionnelle et par là elle subit une nouvelle sorte de spécification. Stendhal l'a bien compris qui disait : « Il faut planter d'un coup toute la forêt. » Mais si nous supposons au contraire une société où l'égalité des sexes serait concrètement réalisée, cette égalité s'affirmerait à neuf en chaque individu.

Si dès l'âge le plus tendre, la fillette était élevée avec les mêmes exigences et les mêmes honneurs, les mêmes sévérités et les mêmes licences que ses frères, participant aux mêmes études, aux mêmes jeux, promise à un même avenir, entourée de femmes et d'hommes qui lui apparaîtraient sans équivoque comme des égaux, le sens du « complexe de castration » et du « complexe d'Œdipe » seraient profondément modifiés. Assumant au même titre que le père la responsabilité matérielle et morale du couple, la mère jouirait du même durable prestige ; l'enfant sentirait autour d'elle un monde androgyne et non un monde masculin ; fût-elle affectivement plus attirée par son père — ce qui n'est pas même sûr — son amour pour lui serait nuancé par une volonté d'émulation et non par un sentiment d'impuissance : elle ne s'orienterait pas vers la passivité ; autorisée à prouver sa valeur dans le travail et le sport, rivalisant activement avec les garçons, l'absence de pénis — compensée par la promesse de l'enfant — ne suffirait pas à engendrer un « complexe d'infériorité » ; corrélativement, le garçon n'aurait pas spontanément un « complexe de supériorité » si on ne le lui insufflait pas et s'il estimait les femmes autant que les hommes[*]. La fillette ne chercherait donc pas de stériles compensations dans le narcissisme et le rêve, elle ne se prendrait pas pour donnée, elle s'intéresserait à ce qu'elle *fait*, elle s'engagerait sans réticence dans ses entreprises. J'ai dit combien sa puberté serait plus facile si elle la dépassait, comme le garçon, vers un libre avenir d'adulte ; la menstruation ne lui inspire tant d'horreur que parce qu'elle constitue une chute brutale dans la féminité ; elle assumerait aussi bien plus tranquillement son jeune érotisme si elle n'éprouvait pas un dégoût effaré pour l'ensemble de son destin ; un enseignement sexuel cohérent l'aiderait beaucoup à surmonter cette crise. Et grâce à l'éducation mixte, le mystère auguste de l'Homme n'aurait pas l'occasion de naître : il serait tué par la familiarité quotidienne et les franches compétitions. Les objections qu'on oppose à

---

[*] Je connais un petit garçon de huit ans qui vit avec une mère, une tante, une grand-mère, toutes trois indépendantes et actives, et un vieux grand-père à demi impotent. Il a un écrasant « complexe d'infériorité » à l'égard du sexe féminin, bien que sa mère s'applique à le combattre. Au lycée il méprise camarades et professeurs parce que ce sont de pauvres mâles.

ce système impliquent toujours le respect des tabous sexuels ; mais il est vain de prétendre inhiber chez l'enfant la curiosité et le plaisir ; on n'aboutit qu'à créer des refoulements, des obsessions, des névroses ; la sentimentalité exaltée, les ferveurs homosexuelles, les passions platoniques des adolescentes avec tout leur cortège de niaiserie et de dissipation sont bien plus néfastes que quelques jeux enfantins et quelques précises expériences. Ce qui serait surtout profitable à la jeune fille, c'est que ne cherchant pas dans le mâle un demi-dieu — mais seulement un camarade, un ami, un partenaire — elle ne serait pas détournée d'assumer elle-même son existence ; l'érotisme, l'amour prendraient le caractère d'un libre dépassement et non celui d'une démission ; elle pourrait les vivre comme un rapport d'égal à égal. Bien entendu, il n'est pas question de supprimer d'un trait de plume toutes les difficultés que l'enfant a à surmonter pour se changer en un adulte ; l'éducation la plus intelligente, la plus tolérante, ne saurait le dispenser de faire à ses frais sa propre expérience ; ce qu'on peut demander, c'est qu'on n'accumule pas gratuitement des obstacles sur son chemin. Qu'on ne cautérise plus au fer rouge les fillettes « vicieuses », c'est déjà un progrès ; la psychanalyse a un peu instruit les parents ; cependant les conditions actuelles dans lesquelles s'accomplissent la formation et l'initiation sexuelle de la femme sont si déplorables qu'aucune des objections que l'on oppose à l'idée d'un radical changement ne saurait être valable. Il n'est pas question d'abolir en elle les contingences et les misères de la condition humaine, mais de lui donner le moyen de les dépasser.

La femme n'est victime d'aucune mystérieuse fatalité ; les singularités qui la spécifient tirent leur importance de la signification qu'elles revêtent ; elles pourront être surmontées dès qu'on les saisira dans des perspectives nouvelles ; ainsi on a vu qu'à travers son expérience érotique la femme éprouve — et souvent déteste — la domination du mâle : il n'en faut pas conclure que ses ovaires la condamnent à vivre éternellement à genoux. L'agressivité virile n'apparaît comme un privilège seigneurial qu'au sein d'un système qui tout entier conspire à affirmer la souveraineté masculine ; et la femme ne se *sent* dans l'acte amoureux si profondément passive que parce que déjà elle se *pense* comme telle. Revendiquant leur dignité d'être humain, beaucoup de femmes modernes saisissent encore leur vie érotique à partir d'une tradition d'esclavage : aussi leur paraît-il humiliant d'être couchées sous l'homme, pénétrées par lui et elles se crispent dans la frigidité ; mais si la réalité était différente le sens qu'expriment symboliquement gestes et postures amoureux le seraient aussi : une femme qui paie, qui domine son amant, peut par exemple se sentir fière de sa superbe oisiveté et considérer qu'elle asservit le mâle qui activement se dépense ; et il existe d'ores et déjà quantité de couples sexuellement équilibrés où les notions de victoire et de défaite font place à une idée d'échange. En vérité, l'homme est comme la femme une chair, donc une passivité, jouet de ses hormones et de l'espèce, proie inquiète de son désir ; et elle est comme lui au sein de la fièvre charnelle consentement, don volontaire, activité ; ils vivent chacun à sa manière l'étrange équivoque de l'existence faite corps. Dans ces combats où ils croient s'affronter l'un l'autre, c'est contre soi que chacun lutte, projetant en son partenaire cette part de lui-même qu'il répudie ; au lieu de vivre l'ambiguïté de sa condition, chacun s'efforce d'en faire supporter par l'autre l'abjection et de s'en réserver l'honneur. Si cependant tous deux l'assumaient avec une lucide modestie, corrélative d'un authentique orgueil, ils se reconnaîtraient comme des semblables et vivraient en amitié le drame érotique. Le fait d'être un être humain est infiniment plus important que toutes les singularités qui distinguent les êtres humains ; ce n'est jamais le donné qui confère des supériorités : la « vertu » comme l'appelaient les Anciens se définit au niveau de « ce qui dépend de nous ». Dans les deux sexes se joue le même drame de la chair et de l'esprit, de la finitude et de la transcendance ; les deux sont rongés par le temps, guettés par la mort, ils ont un même essentiel besoin de l'autre ; et ils peuvent tirer de leur liberté la même gloire ; s'ils savaient la goûter, ils ne seraient plus tentés de se disputer de fallacieux privilèges ; et la fraternité pourrait alors naître entre eux.

On me dira que toutes ces considérations sont bien utopiques puisqu'il faudrait pour « refaire la femme » que déjà la société en ait fait *réellement* l'égale de l'homme ; les conservateurs n'ont jamais manqué en toutes circonstances analogues de dénoncer ce cercle vicieux : pourtant l'histoire ne tourne pas en rond. Sans doute si on maintient une caste en état d'infériorité, elle demeure inférieure : mais la liberté peut briser le cercle ; qu'on laisse les Noirs voter, ils deviennent dignes du vote ; qu'on donne à la femme des responsabilités, elle sait les assumer ; le fait est qu'on ne saurait attendre des oppresseurs un mouvement gratuit de générosité ; mais tantôt la révolte des opprimés, tantôt l'évolution même de la caste privilégiée crée des situations nouvelles ; ainsi les hommes ont été amenés, dans leur propre intérêt, à émanciper partiellement les femmes : elles n'ont plus qu'à poursuivre leur ascension et les succès qu'elles obtiennent les y encouragent ; il semble à peu près certain qu'elles accéderont d'ici un temps plus ou moins long à la parfaite égalité économique et sociale, ce qui entraînera une métamorphose intérieure.

En tout cas, objecteront certains, si un tel monde est possible, il n'est pas désirable. Quand la femme sera

« la même » que son mâle, la vie perdra « son sel poignant ». Cet argument non plus n'est pas nouveau : ceux qui ont intérêt à perpétuer le présent versent toujours des larmes sur le mirifique passé qui va disparaître sans accorder un sourire au jeune avenir. Il est vrai qu'en supprimant les marchés d'esclaves on a assassiné les grandes plantations si magnifiquement parées d'azalées et de camélias, on a miné toute la délicate civilisation sudiste ; les vieilles dentelles ont rejoint dans les greniers du temps les timbres si purs des castrats de la Sixtine et il y a un certain « charme féminin » qui menace de tomber lui aussi en poussière. Je conviens que c'est être un barbare que de ne pas apprécier les fleurs rares, les dentelles, le cristal d'une voix d'eunuque, le charme féminin. Quand elle s'exhibe dans sa splendeur, la « femme charmante » est un objet bien plus exaltant que « les peintures idiotes, dessus-de-porte, décors, toiles de saltimbanques, enseignes, enluminures populaires » qui affolaient Rimbaud[6] ; parée des artifices les plus modernes, travaillée selon les techniques les plus neuves, elle arrive du fond des âges, de Thèbes, de Minos, de Chichen Itza ; et elle est aussi le totem planté au cœur de la brousse africaine ; c'est un hélicoptère et c'est un oiseau ; et voilà la plus grande merveille : sous ses cheveux peints le bruissement des feuillages devient une pensée et des paroles s'échappent de ses seins. Les hommes tendent des mains avides vers le prodige ; mais dès qu'ils s'en saisissent, celui-ci s'évanouit ; l'épouse, la maîtresse parlent comme tout le monde, avec leur bouche : leurs paroles valent tout juste ce qu'elles valent ; leurs seins aussi. Un si fugitif miracle — et si rare — mérite-t-il qu'on perpétue une situation qui est néfaste pour les deux sexes ? On peut apprécier la beauté des fleurs, le charme des femmes et les apprécier à leur prix ; si ces trésors se paient avec du sang ou avec du malheur, il faut savoir les sacrifier.

Le fait est que ce sacrifice paraît aux hommes singulièrement lourd ; il en est peu pour souhaiter du fond du cœur que la femme achève de s'accomplir ; ceux qui la méprisent ne voient pas ce qu'ils auraient à y gagner, ceux qui la chérissent voient trop ce qu'ils ont à y perdre ; et il est vrai que l'évolution actuelle ne menace pas seulement le charme féminin : en se mettant à exister pour soi, la femme abdiquera la fonction de double et de médiatrice qui lui vaut dans l'univers masculin sa place privilégiée ; pour l'homme pris entre le silence de la nature et la présence exigeante d'autres libertés, un être qui soit à la fois son semblable et une chose passive apparaît comme un grand trésor ; la figure sous laquelle il perçoit sa compagne peut bien être mythique, les expériences dont elle est la source ou le prétexte n'en sont pas moins réelles : et il n'en est guère de plus précieuses, de plus intimes, de plus brûlantes ; que la dépendance, l'infériorité, le malheur féminins leur donnent leur caractère singulier, il ne peut être question de le nier ; assurément l'autonomie de la femme, si elle épargne aux mâles bien des ennuis, leur déniera aussi maintes facilités ; assurément il est certaines manières de vivre l'aventure sexuelle qui seront perdues dans le monde de demain : mais cela ne signifie pas que l'amour, le bonheur, la poésie, le rêve en seront bannis. Prenons garde que notre manque d'imagination dépeuple toujours l'avenir ; il n'est pour nous qu'une abstraction ; chacun de nous y déplore sourdement l'absence de ce qui fut lui ; mais l'humanité de demain le vivra dans sa chair et dans sa liberté, ce sera son présent et à son tour elle le préférera ; entre les sexes naîtront de nouvelles relations charnelles et affectives dont nous n'avons pas idée : déjà sont apparues entre hommes et femmes des amitiés, des rivalités, des complicités, des camaraderies, chastes ou sexuelles, que les siècles révolus n'auraient su inventer. Entre autres, rien ne me paraît plus contestable que le slogan qui voue le monde nouveau à l'uniformité, donc à l'ennui. Je ne vois pas que de ce monde-ci l'ennui soit absent ni que jamais la liberté crée l'uniformité. D'abord, il demeurera toujours entre l'homme et la femme certaines différences ; son érotisme, donc son monde sexuel, ayant une figure singulière ne saurait manquer d'engendrer chez elle une sensualité, une sensibilité singulière : ses rapports à son corps, au corps mâle, à l'enfant ne seront jamais identiques à ceux que l'homme soutient avec son corps, avec le corps féminin et avec l'enfant ; ceux qui parlent tant d'« égalité dans la différence » auraient mauvaise grâce à ne pas m'accorder qu'il puisse exister des différences dans l'égalité. D'autre part, ce sont les institutions qui créent la monotonie : jeunes et jolies, les esclaves du sérail sont toujours les mêmes entre les bras du sultan ; le christianisme a donné à l'érotisme sa saveur de péché et de légende en douant d'une âme la femelle de l'homme ; qu'on lui restitue sa souveraine singularité, on n'ôtera pas aux étreintes amoureuses leur goût pathétique. Il est absurde de prétendre que l'orgie, le vice, l'extase, la passion deviendraient impossibles si l'homme et la femme étaient concrètement des semblables ; les contradictions qui opposent la chair à l'esprit, l'instant au temps, le vertige de l'immanence à l'appel de la transcendance, l'absolu du plaisir au néant de l'oubli ne seront jamais levées ; dans la sexualité se matérialiseront toujours la tension, le déchirement, la joie, l'échec et le triomphe de l'existence. Affranchir la femme, c'est refuser de l'enfermer dans les rapports qu'elle soutient avec l'homme, mais non les nier ; qu'elle se pose pour soi elle n'en continuera pas moins à exister *aussi* pour lui : se reconnaissant mutuelle-

Appendices

Notes

1. *Modern Woman : The Lost Sex* est l'œuvre de Ferdinand Lundberg et Marynia F. Farnham (New York, Harper, 1947). Célèbre figure de la littérature américaine de l'époque, Dorothy Parker (1893-1967) était également journaliste à *Vogue, The New Yorker* et *Vanity Fair.*

2. Selon Sylvie Le Bon, il s'agit vraisemblablement d'Elsa Triolet.

3. Zoologiste de formation, fondateur, à l'université d'Indiana, à Bloomington, du célèbre Institute for Sex Research, Alfred Kinsey (1894-1956) venait de publier *Sexual Behavior in the Human Male* (1948), aussitôt traduit en français et généralement désigné sous le nom de « Rapport Kinsey » ; il publiera *Sexual Behavior in the Human Female* en 1954.

4. L'ouvrage (1867-1946) avait été publié en 1946. Sur *Le Deuxième Sexe,* Julien Benda publiera un compte rendu plutôt favorable dans le numéro de *La Nef* de décembre 1949-janvier 1950.

5. Il s'agit de quatre conférences données entre 1946 et 1947, à Paris, au Collège de philosophie, par Emmanuel Lévinas (1906-1995) et qui venaient d'être publiées en volume.

6. Le célèbre sinologue Marcel Granet (1884-1940) avait notamment publié l'année précédente *La Civilisation chinoise : la vie publique et la vie privée* (1948). Simone de

Beauvoir se souviendra de ses ouvrages quand elle écrira *La Longue Marche* (1957) après son séjour en Chine.

7. Spécialiste des mythes et des religions, Georges Dumézil (1898-1986) venait de publier *L'Héritage indo-européen à Rome* (1949).

8. L'ouvrage de Claude Lévi-Strauss, dont Simone de Beauvoir avait fait la connaissance au moment où elle préparait l'agrégation de philosophie, devait paraître aux Presses universitaires de France la même année que *Le Deuxième Sexe* (une critique du livre, faite par Simone de Beauvoir, paraîtra dans *Les Temps modernes* de novembre 1949). Au chapitre IV de *La Force des choses*, elle note : « Leiris me dit que Lévi-Strauss me reprochait, touchant les sociétés primitives, certaines inexactitudes. Il était en train de terminer sa thèse sur *Les Structures de la parenté* et je lui demandai de me la communiquer. Plusieurs matins de suite j'allai chez lui ; je m'installais devant une table, je lisais une copie dactylographiée de son livre ; il confirmait mon idée de la femme comme *autre* ; il montrait que le mâle demeure l'être essentiel, jusqu'au sein de ces sociétés matrilinéaires qu'on dit matriarcales. » L'ouvrage sera plusieurs fois cité en note dans le premier tome du *Deuxième Sexe*.

9. Simone de Beauvoir reprend à son compte la notion de « *Mitsein* primordial » de Martin Heidegger (1889-1976) dans *Sein und Zeit* (1927). Dans *Le Deuxième Sexe*, elle développe l'idée selon laquelle la femme est l'Autre de l'homme, et son statut est inessentiel. L'égalité véritable devrait faire de la femme un *sujet* au même titre que l'homme ; une fois l'égalité obtenue, la femme sera pleinement engagée dans le temps et l'existence ainsi que l'entend la notion de Heidegger.

10. Le philosophe marxiste August Bebel (1840-1913) est notamment l'auteur de *Die Frau und der Sozialismus (La Femme et le socialisme)*, paru en 1893.

11. François Poullain de la Barre (1647-1725) fit paraître *De l'égalité des sexes, discours physique et moral où l'on voit l'importance de se défaire des préjugés* en 1673 (le texte est réédité chez Fayard, 1984).

12. Dans la troisième partie du premier volume du *Deuxième Sexe*, intitulée « Mythes », Simone de Beauvoir

consacre un chapitre à l'auteur sous le titre « Montherlant ou le pain du dégoût ». « Montherlant, observe-t-elle pour commencer, s'inscrit dans la longue tradition des mâles qui ont repris à leur compte le manichéisme orgueilleux de Pythagore. Il estime après Nietzsche que seules les époques de faiblesse ont exalté l'Éternel féminin et que le héros doit s'insurger contre la *Magna Mater*. »

13. Cette citation est empruntée au livre III, chap. 5 des *Essais*, « Sur des vers de Virgile », qui comprend notamment quelques considérations sur la femme et sur le mariage.

14. Simone de Beauvoir se réfère à nouveau au chapitre 5 du livre III des *Essais*.

15. Denis Diderot s'est prononcé sur les femmes à plusieurs reprises, notamment dans un compte rendu d'ouvrage intitulé *Des femmes* (1772). Ses positions dans ce domaine sont peut-être plus contradictoires que Simone de Beauvoir ne veut le penser.

16. Le philosophe John Stuart Mill (1806-1873) était notamment l'auteur de *The Subjection of Woman* (*L'Asservissement des femmes*), paru en 1869 (texte réédité chez Payot, 2005).

17. Simone de Beauvoir fait allusion aux débats opposant au XIXe siècle ceux et celles qui militent en faveur de l'accession de la femme aux droits civils (George Sand par exemple) à ceux et celles qui souhaitent en même temps l'obtention de droits politiques (ainsi Flora Tristan et les saint-simoniennes qui feront entendre avec force leur opinion en 1848, sans succès).

18. Lois promulguées au début du XXe siècle dans les États du Sud des États-Unis dans le but de restreindre les droits accordés aux anciens esclaves déclarés libres à la suite de la guerre de Sécession et visant à installer la ségrégation dans les écoles, les restaurants, les hôpitaux, les lieux publics et les moyens de transports (Jim Crow est le nom d'un personnage noir créé pour la scène par le comédien Thomas Rice). La ségrégation scolaire sera abolie en 1954, les autres formes de ségrégation par le *Civil Rights Act* en 1964.

19. Ce « problème », auquel la découverte des camps à la fin de la guerre avait donné une dimension particuliè-

rement dramatique (voir *La Force des choses*, chap. 1), avait conduit Sartre à publier ses *Réflexions sur la question juive* (1946).

20. Écrivain et critique dramatique irlandais, Bernard Shaw (1856-1950) est l'auteur d'un très grand nombre de pièces de théâtre ; l'origine de la citation n'a pas été identifiée.

21. Journal destiné aux étudiants du Quartier latin et dont les rédacteurs étaient étudiants ; quelques grands dessinateurs et caricaturistes y firent leurs premières armes.

22. Fils aîné de François Mauriac, Claude Mauriac (1914-1996) servit de secrétaire au général de Gaulle de 1944 à 1949. Journaliste au *Figaro*, critique littéraire et romancier, il se montrera très hostile aux positions philosophiques et politiques de Sartre ainsi qu'aux analyses féministes de Simone de Beauvoir.

23. L'article de Michel Carrouges (« Les pouvoirs de la femme », paru dans le numéro 292 des *Cahiers du Sud*) est également cité en note dans le premier tome du *Deuxième Sexe* (troisième partie, « Mythes », p. 232-233 et 239). Fondés à Marseille en 1925 par Jean Ballard, les *Cahiers du Sud* étaient alors une revue de référence (Sartre y avait notamment publié un compte rendu de *L'Étranger* de Camus).

24. Dans l'entre-deux-guerres, c'était surtout la défense des droits civils qui avait mobilisé les féministes ; elles demandaient le droit de vote et la révision du Code civil.

LA FEMME INDÉPENDANTE

1. C'est le général de Gaulle qui devait, à Alger, le 21 avril 1944, accorder le droit de vote et d'éligibilité aux Françaises. En 1945, douze millions de femmes s'étaient rendues aux urnes pour la première fois.

2. Cf. *Le Deuxième Sexe*, II, troisième partie, chap. XIII.

3. La question est toujours d'actualité (cf. *L'Injustice ménagère*, sous la dir. de François de Singly, Armand Colin, 2007).

4. Cf. *Le Deuxième sexe*, II, première partie, chap. I, « La lesbienne ».

5. Cf. *Le Deuxième sexe*, II, première partie, chap. I, « La jeune fille », et *Mémoires d'une jeune fille rangée* (1958).

6. Cf. *Le Deuxième sexe*, I, première partie, chap. I, « Les données de la biologie » et II, deuxième partie, chap. V, « La femme mariée ».

7. La crainte de la maternité non désirée était toujours très présente, les moyens de contraception étant alors assez rudimentaires et l'avortement strictement interdit. Voir notes 19 et 20, p. 68.

8. Cf. *Le Deuxième Sexe*, II, première partie, chap. I, « La jeune fille ».

9. Le roman de Colette, mettant en scène la liaison d'un adolescent et d'une femme mûre, avait paru en 1923.

10. Jean-Jacques Rousseau a raconté dans ses *Confessions* comment, en 1736, il devint amoureux de son hôtesse, Mme de Warens, et passa avec elle deux années très heureuses avant de la quitter pour se rendre à Milan.

11. Le *Portrait de Grisélidis* avait paru en 1945.

12. *La Condition humaine* avait paru en 1933 et obtenu le prix Goncourt.

13. Cf. *Le Deuxième Sexe*, I, troisième partie, chap. XII, « L'amoureuse ».

14. Dans *Le Deuxième Sexe* (I, troisième partie, chap. V), Simone de Beauvoir a consacré un chapitre à « Stendhal ou le romanesque du vrai ».

15. Le roman de Colette avait paru en 1910.

16. Antoinette de Bergerin, épouse Huzard (1874-1953), a, sous le nom de Colette Yver, publié un nombre conséquent de romans ainsi que quelques biographies romancées. « Mon père n'était pas féministe ; il admirait la sagesse des romans de Colette Yver où l'avocate, la doctoresse, finissent par sacrifier leur carrière à l'harmonie du foyer » (*Mémoires d'une jeune fille rangée*, deuxième partie).

17. Traductrice, romancière, poétesse et journaliste, Mary Ann Evans (1819-1880), connue en littérature sous le pseudonyme de George Eliot, fut liée à l'écrivain George Lewis jusqu'à la mort de ce dernier en 1878. Dans la deuxième partie des *Mémoires d'une jeune fille rangée*, Simone de Beauvoir se souvient de la lecture du *Moulin sur la Floss* qui lui fit grande impression.

18. Cf. *Le Deuxième sexe*, II, deuxième partie, chap. V, « La femme mariée ».

19. Méthode de contraception. La pilule ne sera disponible en France qu'à partir de 1967.

20. L'avortement était alors strictement interdit, les femmes recourant au besoin, en cachette, aux « faiseuses d'anges » ou se faisant avorter à l'étranger. Dans *La Force de l'âge*, Simone de Beauvoir observe : « Aucun fantasme affectif ne m'incitait [...] à la maternité. Et d'autre part, elle ne me paraissait pas compatible avec la voie dans laquelle je m'engageais : je savais que pour devenir écrivain j'avais besoin de beaucoup de temps et d'une grande liberté. » En 1971, elle sera l'une des signataires du « Manifeste des 343 » publié dans *Le Nouvel Observateur*, dans lequel 343 femmes connues dans le domaine politique, intellectuel et artistique diront avoir subi un avortement. En 1973, elle fondera *Choisir*, *La cause des femmes*, avec Gisèle Halimi. Voir aussi *La Force des choses*, chap. IV.

21. Né dans le Mississippi en 1908, le romancier américain Richard Wright a raconté dans *Native Son* (1940) et *Black Boy* (1945) la dure condition d'enfant noir qui fut la sienne (des extraits de ces livres avaient été publiés en traduction dans *Les Temps modernes*). Il était lié à Sartre et Simone de Beauvoir et leur avait fait rencontrer des activistes noirs lors de leurs séjours respectifs aux États-Unis. Il était également ami de Nelson Algren. Ses analyses eurent sur Simone de Beauvoir une influence décisive. Il mourra à Paris, où il vivait depuis 1947, en 1960 (voir chap. XI de *La Force des choses*).

22. Fondée en 1794 et au départ réservée aux garçons, l'École normale supérieure, située au 45 de la rue d'Ulm, dans le Ve arrondissement, comptait depuis 1881, au départ dans un bâtiment de l'ancienne manufacture de Sèvres, une section réservée aux filles. « Ma mère se méfiait de Sèvres, et, réflexion faite, je ne tenais pas à m'enfermer, hors de Paris, avec des femmes », note Simone de Beauvoir dans *Mémoires d'une jeune fille rangée* (deuxième partie).

23. Célèbre interprète de théâtre et de cinéma, femme de Maurice Maeterlinck, Georgette Leblanc (1869-1941) a laissé quelques ouvrages, parmi lesquels un volume de *Souvenirs* (1931).

24. Élisabeth Rachel Félix, dite Rachel (1821-1858), commença à dix-sept ans une brillante carrière de tragé-

dienne à la Comédie-Française. Elle fut l'une des plus célèbres actrices du XIXᵉ siècle.

25. Eleonora Duse (1858-1924), actrice italienne de renommée internationale. Elle fut notamment liée à Gabriele D'Annunzio, dont elle interpréta les pièces.

26. Comme bien des jeunes filles de son époque et de son milieu, Simone de Beauvoir tint régulièrement un « cahier » à partir de son adolescence (voir la troisième partie des *Mémoires d'une jeune fille rangée*). Elle devait, dans son autobiographie en plusieurs volumes, revenir de temps en temps à cette forme de narration et d'analyse de soi. Dans *Anne ou Quand prime le spirituel*, l'une des héroïnes, Chantal, s'exprime sous cette forme. Le *Journal* que Simone de Beauvoir a tenu pendant les premiers mois de la guerre a été publié en 1990.

27. D'origine russe, Marie Bashkirtseff (1860-1884) était morte très jeune de la tuberculose, laissant une œuvre picturale d'une qualité exceptionnelle et un *Journal* d'une grande finesse de vue. Simone de Beauvoir n'a pu en lire qu'une édition incomplète, l'édition définitive étant toujours en cours.

28. Jean Paulhan (1884-1968) avait publié *Les Fleurs de Tarbes ou la Terreur dans les lettres* en 1941. Il consacrait notamment la première section de sa réflexion au lieu commun.

29. Parmi les tableaux d'Élisabeth Vigée-Lebrun (1755-1842) figure le célèbre *Madame Vigée-Lebrun et sa fille* (1789).

30. Cf. *Le Deuxième Sexe*, II, troisième partie, chap. XI, « La narcissiste ».

31. Simone de Beauvoir cite deux romans anglais, *Poussière* (1924) de Rosamund Lehman (1901-1990) et *La Nymphe au cœur fidèle* (1927) de Margaret Kennedy (1896-1967), qu'elle avait lus lorsqu'elle était adolescente.

32. Simone de Beauvoir reprend ici les arguments développés par Virginia Woolf (1882-1941) dans *A Room of One's Own* (*Une chambre à soi*, 1929).

33. *Middlemarch* : roman de George Eliot publié en 1871-1872. *Les Hauts de Hurlevent* : roman d'Emily Brontë (1818-1848) publié en 1847.

34. Simone de Beauvoir se souvient des autobiographies de Rousseau et de Stendhal. Les *Mémoires* de Mme

de Genlis (1825) ou *Histoire de ma vie* de George Sand (1854-1855), alors tombés dans l'oubli, lui auraient permis de nuancer fortement son jugement.

35. Andrée Viollis (1870-1950), journaliste, historienne et romancière. Elle est l'auteur de *L'Inde contre les Anglais* (1930).

36. Willa Cather, romancière américaine (1873-1947), auteur notamment de *Nebraska : The End of the First Cycle* (1923), dans lequel elle déplore la disparition du caractère sauvage du grand Ouest américain.

37. Née à New York, Edith Wharton (1862-1937) est l'auteur d'une œuvre romanesque considérable, dont *The House of Mirth* (*Chez les heureux du monde*, 1905), *Ethan Frome* (1911), *The Age of Innocence* (1920). Elle a vécu en France la plus grande partie de sa vie.

38. D'origine néo-zélandaise, Kathleen Beauchamp, connue en littérature sous le nom de Katherine Mansfied (1888-1923), passa une partie de sa vie en France. Elle est l'auteur de nombreux ouvrages, dont *La Garden-Party* (1922). « J'aimais Katherine Mansfield, ses nouvelles, son *Journal* et ses *Lettres* [...] je trouvais romanesque ce personnage de "femme seule" qui lui avait tant pesé » (*La Force de l'âge*, chap. III).

39. Héros des *Hauts de Hurlevent* d'Emily Brontë.

40. Romancière anglaise, Mary Webb (1881-1927) avait notamment reçu en 1924 le prix Femina pour *Bane* (*Precious Bane*).

41. *Le Procès* de Franz Kafka (1925), *Moby Dick* de Herman Melville (1851), *Ulysse* de James Joyce (1922), *Les Sept Piliers de la Sagesse* de Thomas Edward Lawrence (1926).

42. Thomas Edward Lawrence (1888-1935), romancier et spécialiste du Proche-Orient. *Les Sept Piliers de la Sagesse* avait connu un succès très considérable (Simone de Beauvoir l'avait lu pendant l'été 1943, « couchée dans l'herbe, sous des pommiers à l'odeur d'enfance »). Sa correspondance, dans laquelle il raconte ses nombreux voyages, avait été publiée en 1938.

43. Rosa Luxemburg (1871-1919), grande figure de l'histoire du communisme, d'origine polonaise, est l'auteur de plusieurs ouvrages critiquant les analyses de Karl Marx. Elle passera la majeure partie de sa vie en Allemagne,

fondant avec deux autres militants la « ligue Spartakus », à visée révolutionnaire, et contribuant à la formation du Parti communiste allemand. Elle participa à l'insurrection spartakiste de janvier 1919 à Berlin, au cours de laquelle elle fut arrêtée puis assassinée.

44. Cf. *Le Deuxième Sexe*, II, troisième partie, chap. XIII, « La mystique ».

45. Marthe Borély (1880-1955) est notamment l'auteur du *Génie féminin français* (1917) et de *L'Appel aux Françaises* (1919).

46. Thomas Jefferson (1743-1826), auteur de la *Déclaration d'indépendance* (1776), favorable à un « libéralisme humanitaire ». La citation n'est pas identifiée.

47. Il s'agit d'une longue lettre adressée de Charleville à Paul Demeny et qui s'ouvre sur un « chant de guerre parisien ».

CONCLUSION

1. Simone de Beauvoir cite « Sur la femme. Aphorismes et réflexions » de Jules Laforgue (1860-1887). Voir *Œuvres complètes*, Paris, Société du Mercure de France, 1903, tome 3, p. 47-48.

2. Célèbre figure des milieux artistique et intellectuel américains, Mabel Dodge (1879-1962) tint d'abord salon dans sa villa de Florence puis dans son appartement de la Cinquième Avenue à New York. D. H. Lawrence et sa femme furent les hôtes de sa maison de Taos au Nouveau-Mexique, où elle reçut un grand nombre d'artistes ; elle fut un moment liée à lui. Dans *Saint Mawr (La Femme et la bête*, 1925), Lawrence a donné une version romancée de cet épisode de sa vie ; Mabel Dodge a de son côté publié plusieurs volumes de souvenirs. Simone de Beauvoir la rencontra lors de son passage dans le sud-ouest des États-Unis en 1947.

3. Cf. *Le Deuxième Sexe*, I, deuxième partie, « Histoire ».

4. Simone de Beauvoir cite *Le Journal d'un séducteur* (1843) de Sören Kierkegaard (1813-1855), dans lequel le protagoniste décide de séduire une jeune fille, de la posséder et de l'abandonner aussitôt dans une sorte de célébration cynique et désespérée de l'acte gratuit.

Éléments biographiques

Simone de Beauvoir a laissé une œuvre autobiographique très considérable à laquelle s'ajoutent de nombreuses correspondances, parues pour la plupart après sa mort en 1986. Le lecteur trouvera ici quelques repères et citations portant sur la période qui précède la publication du *Deuxième Sexe* en 1949.

1908. Naissance à Paris de Simone de Beauvoir. « Je suis née à quatre heures du matin, le 9 janvier 1908, dans une chambre aux meubles laqués de blanc, qui donnait sur le boulevard Raspail. [...] De mes premières années, je ne retrouve guère qu'une impression confuse : quelque chose de rouge, et de noir, et de chaud. [...] Protégée, choyée, amusée par l'incessante nouveauté des choses, j'étais une petite fille très gaie » (*Mémoires d'une jeune fille rangée* [*MJFR*], première partie). Sa sœur, surnommée « Poupette », naît en 1910. À la suite de difficultés financières, la famille déménagera un peu plus tard au 71, rue de Rennes, dans un appartement où les deux fillettes disposeront d'une seule chambre.

1913. « Au mois d'octobre 1913 — j'avais cinq ans et demi — on décida de me faire entrer dans un cours au nom alléchant : le cours Désir. » Simone de Beauvoir y reçoit une éducation catholique et une formation dont elle découvrira plus tard le caractère assez sommaire. En dehors de ses études, la lecture est « la grande affaire de [s]a vie », mais livres et revues sont soigneusement contrôlés par sa mère. Avec sa famille, elle passe l'été dans le Limousin, près d'Uzerche, où son grand-père paternel possède une propriété.

1917. Arrivée au cours Désir d'Élizabeth Mabille, « petite noiraude, aux cheveux coupés courts ». Bientôt surnommée « Zaza », elle deviendra très vite la meilleure amie de Simone : « Je ne concevais rien de mieux au monde que d'être moi-même et d'aimer Zaza. »

1921. Adolescente, Simone de Beauvoir se convainc peu à peu que sa vie « conduira quelque part » et qu'à la différence de sa mère, elle ne sera pas « vouée à un destin de ménagère » (*MJFR*, deuxième partie). « J'enlaidis, mon nez rougeoya ; il me poussa sur le visage et sur la nuque des boutons que je taquinais avec nervosité. [...] mes robes informes accentuaient ma gaucherie. » Ses lectures s'intensifient mais elles demeurent toujours contrôlées par sa mère. Après des années de piété ardente, elle perd la foi.

1925. Obtention du baccalauréat. « Je décrochai la mention "bien" et ces demoiselles [du cours Désir], satisfaites de pouvoir inscrire ce succès sur leurs tablettes, me firent fête » (*ibid.*). Après quoi, elle décide de se préparer à l'enseignement. Inscription à la Sorbonne et à l'institut Sainte-Marie à Neuilly, qui donne aux jeunes filles une formation générale approfondie. « "C'est arrivé : me voici étudiante !", me disais-je joyeusement » (*ibid.*). Au fur et à mesure que Simone de Beauvoir cherche à s'émanciper, les conflits avec ses parents se multiplient. Elle tombe amoureuse de son cousin Jacques, qui ne répond pas à son sentiment.

1928. Obtention de la licence de philosophie. Préparation à l'agrégation. « En décidant de préparer le concours [...] je m'étais mise en marche vers l'avenir. Toutes mes journées avaient désormais un sens : elles m'acheminaient vers une libération définitive » (*MJFR*, troisième partie).

1929. En juillet, Simone de Beauvoir se lie d'amitié avec trois étudiants de l'École normale supérieure qui préparent également l'agrégation, Nizan, René Maheu (auquel elle doit son surnom de « Castor ») et Sartre. La supériorité intellectuelle de ce dernier sur tous ses condisciples est manifeste ; sa gentillesse, son souci des autres et sa volonté d'écrire sont patents. Simone de Beauvoir est reçue à l'agrégation de philosophie ; elle est classée deuxième, tandis que Sartre est premier. « Ce qui me grisa lorsque je rentrai à Paris, en septembre 1929, ce fut d'abord ma liberté [...]. Le matin, dès que j'ouvrais les yeux, je m'ébrouais, je jubilais » (*La Force de l'âge* [*FA*], chap. I). À partir de ce moment, le destin de Simone de Beauvoir est scellé, celui de Sartre aussi. « Notre vérité [...] s'inscrivait dans l'éternité et l'avenir la révélerait : nous étions des écrivains. » Jugé « amour nécessaire », par opposition aux amours contingentes, le fort sentiment qui les lie fait l'objet d'un « bail » renouvelable. Mort de Zaza, vraisemblablement d'une méningite.

1931. Nomination dans un lycée de Marseille. « J'eus le coup de foudre. Je grimpai dans toutes ses rocailles, je rôdai dans toutes ses ruelles, je respirai le goudron et les oursins du Vieux-Port, je me mêlai aux foules de la Canebière » (*FA*, chap. II). Après son service militaire, Sartre est en poste au Havre, propose à Simone de l'épouser, ce qui leur permettrait d'obtenir un poste dans la même ville ; elle refuse, comme elle refuse l'idée de la maternité : « il [Sartre] se suffisait, il me suffisait [...] je ne rêvais pas du tout de me retrouver dans une chair issue de moi ». Vif intérêt pour le cinéma, qu'elle partage avec Sartre.

1932. Première tentative romanesque. Nomination à Rouen, où elle restera jusqu'en 1936. « [...] à cause du contenu de mes cours, j'étais très mal vue par la bourgeoisie rouennaise : on racontait que je me faisais entretenir par un riche sénateur » (*FA*, chap. III). Le couple se lie avec l'acteur Charles Dullin ainsi qu'avec Colette Audry, militante trotskiste qui s'intéresse à la psychanalyse.

1933. Séjour à Londres puis voyage en Italie, découverte de Rome et de Venise. « [...] nous avons vu Venise avec ce regard qu'on ne retrouve plus jamais : le premier [...]. C'est aussi à Venise [...] que pour la première fois nous avons aperçu des S. S. en chemises brunes » (*ibid.*). À l'automne, départ de Sartre, nommé lecteur à l'Institut français de Berlin.

1936. Olga Kosakievitch, jeune étudiante russe dont Sartre et Simone de Beauvoir ont fait la connaissance l'année précédente, suscite une vive passion de la part de Sartre : « Nous pensions que les rapports humains sont perpétuellement à inventer, qu'a priori aucune forme n'est privilégiée, aucune impossible » (*FA*, chap. IV). Toutefois, cette relation à trois tournera rapidement à l'échec (Simone de Beauvoir fera de cette « expérience » le sujet de *L'Invitée*). Voyage à Naples et dans le sud de l'Italie. « De retour à Paris [...] nous plongeâmes dans le drame qui pendant deux ans et demi domina toute notre vie : la guerre d'Espagne » (*FA*, chap. V). À l'automne, Simone de Beauvoir est nommée au lycée Molière à Paris.

1937. En septembre, Sartre est nommé au lycée Pasteur à Paris. Les amants habitent chacun une chambre à l'hôtel Mistral, 24, rue de Cels, dans le XIVe arrondissement : « [...] j'avais un divan, des rayonnages et un bureau très commode pour travailler. [...] Sartre habitait à l'étage au-dessus. Nous avions ainsi tous les avantages d'une vie commune, et aucun de ses inconvénients » (*ibid.*).

1938. Soumission de *La Primauté du spirituel* à deux éditeurs qui le refusent. Beauvoir décide d'enterrer le projet « avec le sourire » (sous le titre *Anne ou quand prime le spirituel*, ce recueil de nouvelles, qui donne voix à cinq femmes, sera publié chez Gallimard en 1979 et réédité en 2006). Séjour au Maroc avec Sartre. Au retour, reprise du manuscrit de *L'Invitée*. « Des influences que j'ai subies, la plus manifeste est celle d'Hemingway [...]. Un des traits que j'appréciais dans ses récits, c'est son refus des descriptions prétendues objectives : paysages, décors, objets sont toujours présentés selon la vision du héros, dans la perspective de l'action » (*ibid.*).

1939. « En 1939, mon existence a basculé d'une manière [...] radicale : l'Histoire m'a saisie pour ne plus me lâcher ; d'autre part, je m'engageai à fond et à jamais dans la littérature » (*ibid.*). En septembre, Sartre est mobilisé. Du 1er septembre au 14 juillet de l'année suivante, Simone de Beauvoir tient un journal dont elle cite des extraits au chap. VI de *La Force de l'âge*.

1940. Nizan est tué au front en mai. Sartre est fait prisonnier en juin et envoyé à Trèves. Il sera libéré en mars suivant.

1941. Fondation avec quelques amis d'un groupe de résistance intellectuelle, « Socialisme et liberté », qui sera dissous quelques mois plus tard.

1942. Tandis que Simone de Beauvoir continue d'habiter à l'hôtel Mistral, Sartre habite plusieurs chambres d'hôtel du VIe arrondissement. Ils prennent l'habitude de travailler ensemble au café de Flore. « Les écrivains de notre bord avaient tacitement adopté certaines règles. On ne devait pas écrire dans les journaux et les revues de zone occupée, ni parler à Radio-Paris ; on pouvait travailler dans la presse de la zone libre et à Radio-Vichy : tout dépendait du sens des articles et des émissions » (*ibid.*).

1943. Simone de Beauvoir achève *Pyrrhus et Cinéas*, qui est accepté par Gallimard. Publication chez le même éditeur de *L'Invitée*, qui connaît un vif succès. Le couple se lie avec Michel Leiris et sa femme ainsi qu'avec Raymond Queneau et Albert Camus. À l'automne, déménagement à l'hôtel de la Louisiane, rue de Seine.

1944. Le cercle des relations s'agrandit : Georges Limbour, Sylvia et Georges Bataille, Jacques Lacan, les Salacrou comptent parmi les amis du couple Sartre-Beauvoir. Jean Genet y est introduit par Camus. Dîners chez Picasso et Dora Maar.

1945. « Un monde ravagé. Dès le lendemain de la libération, on découvrit les salles de torture de la Ges-
tapo, on mit au jour les charniers » (*La Force des
choses* [*FC*], chap. I). Simone de Beauvoir se fait
mettre en congé de l'Université pour pouvoir écrire ;
elle continue de partager ses ressources avec celles
de Sartre. « Écrire était devenu pour moi un métier
exigeant. Il me garantissait mon autonomie morale
[…]. Je voyais dans mes livres mon véritable ac-
complissement » (*ibid.*). Sartre part pour les États-
Unis où il fait la connaissance d'écrivains américains, parmi lesquels Richard Wright. Rencontre
avec Violette Leduc, qui lui remet le manuscrit de
son autobiographie. Publication du *Sang des autres* :
« Le thème principal en était […] le paradoxe de
cette existence vécue par moi comme ma liberté et
saisie comme objet par ceux qui m'approchent. Ces
intentions échappèrent au public ; le livre fut cata-
logué "un roman de la résistance" » (*FC*, chap. II).
Création d'une pièce de théâtre, *Les Bouches inutiles*, qui tombe rapidement.

1946. Du 30 avril au 20 mai, Simone de Beauvoir tient un
journal de son voyage en Suisse avec Sartre (elle en
reproduit des extraits au chapitre II de *La Force des
choses*). Rencontre avec Boris Vian, l'un des anima-
teurs du mouvement « zazou ». Publication de *Tous
les hommes sont mortels*, envisagé « avant tout
comme un long vagabondage autour de la mort »
(*FA*, chap. VIII).

1947. Publication d'un essai philosophique, *Pour une morale de l'ambiguïté*. Voyage aux États-Unis pour une
tournée de conférences. « La luxuriance américaine
me bouleversa : les rues, les vitrines, les voitures,
les chevelures et les fourrures, les bars, les *drug-
stores*, le ruissellement du néon, les distances dévo-
rées en avion, en train, en auto, en *greyhound*, la
changeante splendeur des paysages, des neiges du
Niagara aux déserts enflammés de l'Arizona » (*FC*,
chap. III). À Chicago, elle rencontre l'écrivain Nelson Algren avec lequel elle sera liée pendant quatre
ans. « Il possédait ce don, rare entre tous, que j'ap-

pellerais la bonté si ce mot n'avait pas été si mal-
mené. »

1948. Publication de *L'Amérique au jour le jour*. En septembre, retour aux États-Unis qu'elle parcourt avec
Algren puis voyage au Mexique et au Guatemala
(certains souvenirs de ce voyage sont racontés dans
le chapitre III de *La Force des choses* et dans *Les
Mandarins*, publié en 1954).

1949. Au printemps, séjour de Nelson Algren à Paris. « Le
premier tome du *Deuxième Sexe* fut publié en juin ;
en mai avait paru dans *Les Temps modernes* le chapitre sur "l'initiation sexuelle de la femme", que
suivirent en juin et juillet ceux qui traitaient de "la
lesbienne" et de "la maternité". En novembre le second volume sortit chez Gallimard » *La Force des
choses, id.*

Repères bibliographiques et filmographiques

Quelques œuvres de Simone de Beauvoir

Toute l'œuvre de Simone de Beauvoir est disponible aux éditions Gallimard (la plupart des titres sont disponibles en Folio). Ne sont mentionnés ici que quelques textes autobiographiques, ainsi que journaux et correspondances.

L'Amérique au jour le jour, 1948.
Mémoires d'une jeune fille rangée, 1958 ; nouvelle éd. de Sylvie Le Bon de Beauvoir, « Folio », 2008.
La Force de l'âge, 1960.
La Force des choses, 1963.
Tout compte fait, 1972.
La Cérémonie des adieux, suivi de *Entretiens avec Jean-Paul Sartre, août-septembre 1974*, 1981.
Lettres à Sartre, éd. Sylvie Le Bon de Beauvoir, t. I : 1930-1939 ; t. II : 1940-1963, 1990.
Journal de guerre, septembre 1939-janvier 1941, éd. Sylvie Le Bon de Beauvoir, 1990.
Lettres à Nelson Algren. Un amour transatlantique. 1947-1964, éd. Sylvie Le Bon de Beauvoir, 1997.
Correspondance croisée Simone de Beauvoir Jacques-Laurent Bost, 1937-1940, éd. Sylvie Le Bon de Beauvoir, 2004.

Quelques ouvrages critiques

Dans l'abondante bibliographie consacrée à Simone de Beauvoir, nous avons privilégié, outre quelques ouvrages généraux, ceux qui sont consacrés au *Deuxième Sexe*.

Bauer, N., *Simone de Beauvoir. Philosophy and Feminism*, New York, Columbia University Press, 2001.

Francis, Claude et Gontier, Fernande, *Simone de Beauvoir*, Paris, Le Grand Livre du Mois, 1985.

Chaperon, Sylvie, *Les Années Beauvoir, 1945-1970*, Paris, Fayard, 2000.

Chaperon, Sylvie et Delphy, Christine, *Le Cinquantenaire du* Deuxième Sexe, Paris, Syllepse, 2000.

Deguy, Jacques, *Simone de Beauvoir. Écrire la liberté*, Gallimard, « Découvertes », 2008.

Fallaize, Elizabeth (ed.), *Simone de Beauvoir. A Critical Reader*, Londres, Routledge, 1998.

Galster, Ingrid (éd.), *Cinquante après* Le Deuxième Sexe. *Beauvoir en débats*, Lendemains, n° 94, 1999.

— (éd.), Le Deuxième Sexe. *Le livre fondateur du féminisme moderne en situation*, Paris, Champion, 2004. [Ensemble d'articles commentant chacun des chapitres du livre ; le chapitre intitulé « La femme indépendante » est commenté par Naomi Schor.]

— (éd.), Le Deuxième Sexe *de Simone de Beauvoir*, Paris, Presses universitaires de la Sorbonne, 2004. [Anthologie des comptes rendus faisant suite à la parution du livre, souvenirs, témoignages, réactions.]

Kail, Michel, *Simone de Beauvoir philosophe*, Paris, PUF, coll. « Philosophies », 2006.

Lilar, Suzanne, *Le Malentendu du* Deuxième Sexe, Paris, PUF, 1970.

Moi, Toril, *Feminist Theory and Simone de Beauvoir*, Oxford, Blackwell, 1990.

— , *Simone de Beauvoir. Conflits d'une intellectuelle*, préface de Pierre Bourdieu, Paris, New York, Amsterdam, Diderot Ed., 1995. [Voir en particulier les chap. 6 et 7.]

Rodgers, Catherine, Le Deuxième Sexe *de Simone de Beauvoir. Un héritage admiré et contesté*, Paris, L'Harmattan, 1998. [Contient une série d'entretiens à propos du livre avec Élisabeth Badinter, Antoinette Fouque, Xavière Gautier, Gisèle Halimi, Julia Kristeva, Michelle Perrot, etc., ainsi qu'une bonne bibliographie.]

Sallenave, Danielle, *Castor de guerre*, Gallimard, 2008.

Schwarzer, Alice, *Simone de Beauvoir aujourd'hui. Six entretiens*, Paris, Mercure de France, 1984. [Où Simone de Beauvoir s'explique notamment sur ses positions féministes et sur la rédaction du *Deuxième Sexe*.]

Winock, Michel, *Le Siècle des intellectuels*, Seuil, 1997.

Filmographie

Dayan, Josée et Ribowska, Malka, *Simone de Beauvoir* (1978).

Fautrier, Pascale et Stroh, Valérie, *Simone de Beauvoir* (FR 3, 1999 ; série : « Un siècle d'écrivains »).

Goretta, Claude, *Les Amants du Flore* (FR 2, 2005).

COLLECTION FOLIO 2€

Dernières parutions

Composition Nord Compo
Impression Novoprint
à Barcelone, le 2 février 2014
Dépôt légal : février 2014
1ᵉʳ dépôt légal dans la collection : décembre 2007

ISBN 978-2-07-034383-6./Imprimé en Espagne

265668